GOREUON STORÏAU KATE ROBERTS

D.I.B.
Bala.
Mis Mehefin
2002.
gyda Collen.

£2-50

# GOREUON STORÏAU
# KATE ROBERTS

*Wedi'u dethol, ynghyd â*

*Rhagymadrodd*

*gan*

*HARRI PRITCHARD JONES*

✧

GWASG GEE
DINBYCH

*Argraffiad cyntaf Hydref 1997*
*Ail argraffiad Mawrth 1999*

ISBN 0 7074 302 2

*Dymuna'r Cyhoeddwyr gydnabod yn ddiolchgar iawn gymorth*
*Adrannau Cyngor Llyfrau Cymru.*

*Argraffwyr a Chyhoeddwyr:*
GWASG GEE, DINBYCH. LL16 3SW

# Cynnwys

# Rhagymadrodd

Hwyrach ei bod hi'n beth rhyfygus i rywun ddethol o blith storïau Kate Roberts, a honni mai nhw ydi'r goreuon. Yn sicr, y mae yna elfen fympwyol ym mhob detholiad. Yr hyn a'm cymhellodd i i gymryd at y gwaith oedd cred ddiysgog ym mawredd Kate Roberts fel llenor ar y naill law, ac ar y llaw arall, sylweddoliad fod llawer o'r bobl y byddaf i yn trafod ei gwaith hi gyda nhw ddim yn medru gwerthfawrogi'r mawredd hwnnw. Mae hyn yn arbennig o wir yn achos pobl ifainc sydd yn gorfod astudio ei gwaith.

Yr hyn a gyflwynir iddyn' nhw fel arfer ydi un gyfrol o storïau, cynnyrch un cyfnod yn hanes yr awdur, ac mae yna bethau llai llwyddiannus bob tro, wrth gwrs. Yng ngwaith Kate Roberts mae yna, yn ogystal, bethau sy'n anneniadol, hyd yn oed yn atgas i lawer. Mae yna rywbeth o werth ym mhopeth a 'sgrifennodd hi erioed, fel y gwyddom ni: rhyw ddarn o ddisgrifio, rhyw gymhareb, rhyw fanylyn arwyddocaol a ddadlennir ganddi, rhyw goethder iaith sy'n gofiadwy. Ond weithiau mae yna elfen o bropaganda, rhyw ymagweddu, ac yn amlach na'r rhain, rhyw forbidrwydd. Morbidrwydd fel a geir weithiau yng ngwaith Strindberg, awdur yr oedd hi'n hoff ohono.

Mae hi'n anodd trafod byd adfydus y chwarelwyr ddechrau'r ganrif ac yn ystod y Rhyfel Mawr, a chyfnod y Pla Gwyn ac ati, heb fynd i'r cywair lleddf. Mae'n hollol briodol i lenor drafod ochr ddu bywyd – mae'n rheidrwydd arno, ond inni gael cip ar y darlun ehangach, chwedl Kate Roberts ei hun, wrth drafod natur y stori fer. Mae un o'i gweithiau gorau hi, *Tywyll Heno,* am gwmwl du pruddglwyf canol oed, ac ynddo ddarluniau cofiadwy o ysbyty i'r henoed ffwndrus yn eu trueni, a sôn am golli ffydd a phob gobaith. Ond prin ydi'r darllenwyr sydd am ddarllen gormod am bethau fel'na, yn enwedig heb rywfaint o amrywiaeth goslef a chywair yn y gwaith. Mae yna beth wmbredd o bobl gysetlyd yng ngweithiau Kate Roberts, ac mae yna ryw urddas yn perthyn i'r rheini, ond mae yna hefyd ormod o bobl gas a, gwaeth fyth, ormod o bobl biwis.

Megis mewn cynebryngau ac achlysuron profedigaethus eraill yn hanes unigolion a theuluoedd a chymunedau, plant sy'n mynnu dwyn sylw pobl yn ôl at reidrwydd dal ati efo bywyd, a'u hatgoffa fod yna achos llawenydd i ryw raddau ym mhobman; hyd yn oed yng nghanol angau, yr ydym mewn bywyd. A phlant yn amlach na pheidio ydi'r elfen fwyaf bywiol, bywiog, deniadol a chredadwy yng ngweithiau Kate Roberts. Plant, a'u doliau a'u creaduriaid anwes ac ati, a golwg plant ar bethau ydi creadigaethau mwyaf aruchel yr awdures ddi-blant yma.

* * * *

Y tair stori ar hugain a gynhwysir yn y gyfrol hon, gredaf fi, sy'n haeddu cael eu cynnwys yn y canon o'i gwaith. Y rhain, ynghyd â *Tywyll Heno* a dechrau *Traed Mewn Cyffion*, ydi gweithiau gorau Kate Roberts yn fy marn i. Ymhellach, mi haera' i mai'r ddau yna, ynghyd â *Cathod Mewn Ocsiwn, Y Taliad Olaf, Rhwng Dau Damaid o Gyfleth* a'r holl storïau a geir yn *Te yn y Grug* ydi'r campweithiau. Ac mae sôn am gampweithiau yn golygu rhywbeth yn yr achos yma. Mae'r rhain yn haeddu lle yng nghanon llenyddiaeth y byd.

Wel, beth sydd mor arbennig am ei gwaith, meddir. Nid ei fod yn croniclo bywyd sy'n gefndir i gymaint o ddarllenwyr hŷn y Gymraeg, er ei fod yn gwneud hynny, yn sicr. Yn hyn o beth, mae darlun Islwyn Williams a Caradog Prichard yn gyflawnach weithiau. Na, yr hyn sydd o werth enfawr yng ngwaith Kate Roberts ydi'r storïau cain a chynnil, yn y dull Tshechofaidd, sy'n dweud tipyn wrthon ni am y natur ddynol ym mhob man. Ac mae ganddi arddull sy'n gyffelyb i rai o'r arlunwyr a llenorion gorau.

* * * *

'Nid cael syniad am stori, ond cael syniad am fywyd a wneuthum i wrth ddechrau 'sgrifennu,' meddai hi wrth Saunders Lewis mewn sgwrs radio un tro. Ac fe luniwyd y weledigaeth honno mewn adfyd: tlodi, afiechyd, damweiniau angheuol yn y chwarel, y Rhyfel Mawr. Colli brawd yn y rhyfel hwnnw a'i cymhellodd hi i ddechrau 'sgrifennu a bu'n doreithiog ei gynnyrch tan ganol y tridegau. Mae ei syniad am fywyd yn hanfodol besimistaidd, fel sy'n wir am gymaint o awduron mwya'r byd drwy gydol yr oesoedd. Dechreuodd 'sgrifennu ar ôl colli brawd a chlwyfo un arall yn y Rhyfel Mawr, a chollodd ei gŵr a'i mam ddiwedd yr Ail Ryfel Byd. Dywedodd yn 1946:

> 'Syrthiodd fy myd yn deilchion o'm cwmpas . . . dechreuais edrych i fewn i mi fy hun . . . Mae angau yn gwneud ichi weld pethau hollol faterol yn wahanol. Mae'n taflu rhyw oleuni ar bethau – mae fel 'sai'n gwneud hollt yn yr awyr, a'ch bod chi'n gweld rhywbeth o safbwynt hollol wahanol.'

Llenor galar ydi Kate Roberts, llenor poen anesgor, dyna sy'n gwneud ei gwaith yn anneniadol i lawer. Hiraeth creulon am Eden mebyd a blynyddoedd cynnar priodas, dyna sy'n dirdynnu ei chymeriadau. Yn ei hoff stori unigol, *Cathod Mewn Ocsiwn*, mae dwy wedd ei galar yn ymrithio: mae yna alar am ei bywyd cynnar yn y gymdeithas glòs, chwarelyddol; ac mae yna alar gwahanol yn y cyfnod ar ôl colli'i gŵr a'i mam, ym maestrefi Dinbych, lle mae ei thraed, bellach, yn gwbl, affwysol rydd o unrhyw gyffion traddodiad. Erbyn hynny mae hi'n gweld methiant pobl i gyfathrebu â'i gilydd oni fônt yn rhan o gymdeithas draddodiadol ac iddi ei defodau cydnabyddedig. 'Wrth droi i mewn i ni'n hunain, yr ydym yn ceisio 'nabod pobl eraill,' meddai wrth drafod Jean-Paul Sartre, yr oedd pobl eraill yn uffern iddo. Methu cyfathrebu ydi nod amgen ei chymeriadau yn yr ail gyfnod. Profiad digon cyffredin yn ein dyddiau diwreiddiedig ni. Ond profiad o fywyd tra gwahanol, a dieithr i'r rhelyw ohonon ni, oedd bywyd hyd lethrau moel Eryri ddechrau'r ganrif.

Bywyd anodd, diflas yn aml, ond ac iddo wead ystyrlon a defodaeth gapelol a dderbynnid yn lled gyffredinol. Bywyd a ganolid yn y cartref a'r ysgol, y chwarel a'r capel. Yr oedd Mr. Hughes y gweinidog, mam Begw a Thwm Hadog (*Te yn y Grug*) yn perthyn i'r un gymdeithas, er bod iddi haenau na fuom ni'n eu cydnabod yn aml. 'Roedd yna wahaniaeth rhwng y tlawd parchus a'r rhai amharchus; yn iaith y de, rhwng y deche a'r didoreth. A thraw yng Nghaernarfon, hen Segontium y Rhufeiniaid, 'roedd yna fwy o wahanol fathau o bobl: yn wŷr busnes a newyddiadurwyr, llongwyr a gwerin drefol, a sbort a hwyl ac afradlondeb – yn ogystal â'r ddau beth gwaharddedig arall: diod a rhywioldeb.

Yno yr âi pobl o *Gors y Bryniau*, o *Rigolau Bywyd*, i fwynhau *Ffair Gaeaf* ac i chwilio am gariad neu ŵr neu wraig. Yno yr aeth hithau i'r Ysgol Ramadeg, ac ymlaen i Goleg y Brifysgol ym Mangor. Profiad go anghyffredin yn achos pobl ei chymdeithas hi, yn enwedig felly yn achos merched.

Mae yna dueddiad yng ngwaith Kate Roberts, yn y cyfnod cynnar, i ddelfrydu bywyd yr ardaloedd chwarelyddol, ac i arddangos y bobl druain fel ysglyfaeth ffawd greulon. Ond yn y storïau prin lle mae hi'n 'sgrifennu am y bobl yna yn ystod ei hail gyfnod, mae hi'n medru dangos gwedd fwy arwrol, fwy cadarnhaol ar eu bywydau. Yn *Te yn y Grug*, yn arbennig, mae hi wedi cyflwyno gwedd ar fywyd sy'n debyg i un y Ffrancwr, Albert Camus. Yn ei lyfr ar Chwedl Sisiffos, y creadur tlawd a dynghedwyd i geisio'n ofer i gael y maen i ben y bryn drwy dragwyddoldeb, mae Camus yn dweud bod derbyn eich tynged yn golygu gorchfygu. Nid cael y graig i ben y bryn sy'n bwysig nac yn bosib', ond llwyddo i'w hatal rhag rowlio'n ôl drosoch chi. Chwedl Camus: 'Mae'r frwydr tuag at y copa, ynddi'i hun, yn ddigon i lenwi calon dyn.'

* * * *

I fod yn deg, 'dydi'r holl storïau cynnar ddim yn delfrydu'r gymdeithas. Yr oedd iddi ei rhinweddau amlwg.

Cymdeithas draddodiadol, gyfiaith, grefyddol-Anghydffurfiol ac ynddi, er pob difrïo a fu arni, lawer o bobl ymroddgar a diwylliedig. Pobl o'r fath sy'n britho ei chyfrolau, a phrin ydi'r cymeriadau sy'n byw ar yr ymylon, fel yr hen Wil Hanner Galwyn yng ngwaith Idwal Jones. Ond, yn y diwedd, cymeriad o'r fath, Winni Ffinni Hadog, ydi un a greadigaethau mwyaf gwych yr awdur.

Mae yna lawer o ferched yng nghorpws gwaith Kate Roberts, yn naturiol felly, ond dim arlliw o ymdeimlad fod merched, fel y cyfryw, yn cael cam. A hyn er iddi fyw yn Aberdâr pan oedd y *suffragettes* yn eu hanterth a Keir Hardie yn ennill sedd Merthyr Tudful. Merched sy'n gaeth i'r gegin a'r crud a geir yma yn bennaf, yn sgwrio stepan drws a lloriau, yn cŵyro dodrefn digon tlawd a hel llwch, yn trwsio dillad a gweu rhai – rhwng planta a bwydo ar y fron a gwneud prydau diddiwedd i'r teulu. Bywyd garw, ond fod gan y rhelyw ohonyn' nhw ryw urddas a balchder ystyfnig. Y plant sy'n dwyn y gweddau mwyaf hoffus i mewn i'w byd, *Deian a Loli* a'u doliau a'u teganau, ond mae'r plant yn rhoi diwedd ar hwyl y rhieni.

Cyni sy'n eu hwynebu wedyn; hen gyni lle mae gwario'n ddifeddwl ar yr hunan yn cael ei gyfyngu i ddiwrnod ffair neu gynhaeaf gwair neu gynhaeaf llafur oes, ar ôl y sbloets fach adeg canlyn a phriodi.

Ei chymeriadau mwyaf crwn a chofiadwy, er hynny – ar wahân i'r plant – ydi'r rhai, merched yn bennaf, sy'n difetha'u hunain ambell waith gyda rhyw foethusrwydd bach; rhyw fymryn o geinder yng nghanol y llymder. Pobl fel Ffanni, yr hen wreigan yn *Y Taliad Olaf,* oedd yn gwario'i cheiniogau prin ar ambell liain bwrdd newydd, fel pe bai hi, fel gwraig y gweinidog yn *Tywyll Heno,* am wneud gwledd fach iddi'i hun a'i osod ar liain main. Dywedir am Ffanni:

> Yr oedd rhywbeth ym mlaenau ei bysedd ac ym migyrnau ei dwylo a fedrai synhwyro brethyn a lliain da. Yr oedd ei dull o drin a bodio defnyddiau yn gwneud i rywun ddal sylw arni.

Rhaid cofio, er mai gwerinwyr ydi'r cymeriadau hyn yn ôl pob sôn, maen' nhw wedi eu stofi i fywyd gwell; yn bobl o dras a gasâi'r syniad y câi eu pethau eu trin a'u trafod gan bobl eraill – hyd yn oed ar ôl iddyn' nhw farw. 'Roedden' nhw'n bobl gysetlyd. Bu cysêt yn elfen amlwg yng nghymeriadau awduron Gwynedd hyd yn ddiweddar. Ei ystyr ydi rhyw swildod balch, parchus; rhywbeth pencïaidd, annibynnol, hunandybus fel arfer – 'sarna i ddim ceiniog i neb! Tarddiad y gair, wedi'r cyfan, ydi *conceit*. Mae cysêt yn fwrn ar ambell gymeriad gan Kate Roberts, megis y ddwy chwaer, Elin a Lydia, yn y stori *Ffair Gaeaf*. Ond mae hefyd am y terfyn â gweddustra, sef yr hen ddoethineb sy'n galluogi pobl sydd wedi eu gorfodi i fyw yn agos at ei gilydd ers cenedlaethau i gadw rhyw elfen o hunan-barch ac annibyniaeth personoliaeth, heb fynd yn erbyn naws gydweithredol, gymwynasgar y gymdeithas. Oherwydd, heb gymwynasgarwch, byddai'r unigolion yn trengi, a chofier mai cysêt o ryw fath a gadwai Ffanni Rolant i dramwy'r ffordd honno, rhigol ei bywyd, hyd at y taliad olaf un. Bryd hynny, mae hi'n wynebu'r siopwr yn ei frat gwyn tu ôl i'r cownter, a'r glorian wrth law, fel petai hi'n talu'r hyn oedd yn ddyledus ganddi i'r Offeiriad Mawr ar Ddydd y Farn.

Mae'r elfen yna'n brinnach yn y storïau a leolwyd yn y de, ac yn yr orau o'r rheini, *Y Cwilt*, mae'r pâr priod 'wedi mynd yn rhy hen i ymladd erbyn hyn'.

Cysêt neu beidio, mae yna ryw elfen heriol yng nghymeriadau mwyaf llwyddiannus Kate Roberts. Yn storïau Eigra Lewis Roberts am ardaloedd cyffelyb mewn cyfnod diweddarach, mae'r cymeriadau'n edrych dros eu hysgwyddau o hyd; yn hiraethu am a fu. Yng ngwaith yr awdures hŷn, hi ei hun sy'n tremio'n ôl, a'i chymeriadau fel arfer yn byw yn eu presennol. Maen nhw'n wynebu her bywyd anodd, sy'n aml yn ymddangos fel tynged, fel y gwnâi Sisiffos druan.

Os oes agwedd eithaf sinicaidd at fywyd yn britho gweithiau Eigra Lewis Roberts, i'r stoïciaid y mae Kate Roberts yn perthyn. Fel y dywed yr Eidalwr, Giacomo Leopardi, am natur pesimyddiaeth glasurol:

> Mae holl natur y bydysawd o'i hanfod yn wrthwynebus i ddyheadau dynion, ac nid oes ystyr i'r syniad o gynnydd

ym mywyd y ddynoliaeth. Nid unrhyw gyfundrefn gymdeithasol neu wleidyddol arbennig sydd wrth wraidd annedwyddwch dynion, ond, yn hytrach, eu sefyllfa gynhenid o fewn y bydysawd.

Mae llawer o ôl stoïciaeth Groeg a Rhufain ar hyn'na, on'd oes? Ond yr oedd Leopardi, hefyd, yn fwriadus adweithio'n erbyn syniadau'r Goleuedigaeth.

Yr oedd Kate Roberts, hithau, yn adweithio. Yn y ganrif ddiwethaf, 'roedd yna dueddiad i lenorion ymateb i erwinder bywyd trwy ymollwng i ffantasi neu sentimentaleiddiwch. Fe lethodd hi bob tueddfryd at hynny ynddi'i hun.Gwnaeth rinwedd o wrthrycholrwydd, gochelodd rhag meddalwch a phropaganda. Yr hyn sy'n rhyfeddol ydi, fel ei hagwedd at hawliau merched, na cheir fyth yn ei gwaith arlliw o gynddaredd tuag at y ffawd a laddai gymaint o'i theulu a'i chydnabod. Yn lle hynny, ceir angerdd gweddus, gweddaidd, fel Canu Llywarch Hen, neu Synge wrth drafod pobl Ynysoedd Aran. Y rheswm am hynny, dybiwn i, ydi nad ydi hi wedi'i llwyr ddieithrio. Mae hi'n dal i gredu; i gredu yn y Drefn, er mai Trefn Sisiffosaidd ydi hi.

Yn ei hail gyfnod fe symudodd hi'n ôl – neu ymlaen – tuag at ffydd Gristnogol, fel gwraig y gweinidog yn *Tywyll Heno.* O *Stryd y Glep*, yng nghanol *Y Byw sy'n Cysgu* a'r seilam, mae'n chwilota tu fewn iddi'i hun a chanfod *Gobaith* yn *Hyn o Fyd*! Ac i mi o leiaf, ei llenyddiaeth fwyaf ydi honno lle mae hi'n aruchelu stoïciaeth hen fyd ei mebyd a'i hatgofion drwy ei ffydd. Wrth wneud hynny y mae hi'n medru wynebu holl weddau ei phrofiad, a darganfod rhywbeth o werth mewn sefyllfaoedd go annisgwyl.

* * * *

Mi soniais am foethusrwydd a cheinder gynnau fach, fel elfennau prin ond pwysig – fel halen wrth goginio – yn ei gwaith. Maen' nhw'n rhoi blas, ac yn wrthbwynt llachar i'r hirlwm o fywyd sy'n gefndir iddyn' nhw, fel blodau gwyllt llachar yn llechu yng nghanol creigiau llwydion. Mae'r doliau a'r gwisgoedd cywrain, y dodrefn a dillad a llestri, a phobl yn gwisgo het silc a chôt a choler felfaréd wrth fynd i ffair – er mai gweision ydyn' nhw – yn bethau moethus. Ond y moethusrwydd mawr, y ceinder mwyaf yng ngweithiau Kate Roberts ydi ei harddull hi.

Mae ganddi ddychymyg sy'n effro i'r saith synnwyr; yn ein galluogi, fel Joyce, i glywed synau, blasau, aroglau, i deimlo ansawdd brethyn, i weld manylion arwyddocaol – fel glafoerion cyfleth, a gweledigaethau fel y gwnaeth Begw yn ei gofid, ac i ymdeimlo â'r ysbrydol ac, weithiau, hyd yn oed yr erotig. Mae ganddi hefyd y fath feistrolaeth ar iaith a thafodiaith, nes ei bod yn medru defnyddio'u holl gyhyrau yn rhyfeddol o rymus, er yn gynnil a dirodres. Arddull synhwyrus, yn creu gweithiau cymesur, sicr eu gwead, cryf eu defnyddiau, cyfrwys a mirain eu lliwiau, ac ynddyn' nhw ôl patrymau traddodiadol, oesol, fel carthen Gymreig.

Mewn geiriau y mae hi'n eu hir adnabod, mewn brawddegau cytbwys, cain, mewn manylion arwyddocaol, mewn patrymau o synnwyr a synwyrusrwydd, mewn delweddau awgrymog, mae hi'n consurio cymeriadau a sefyllfaoedd a digwyddiadau cofiadwy. Nid cyfleu pethau y mae hi wrth 'sgrifennu, ond creu rhywbeth o'r newydd, mewn proses sy'n gymaint nes at genhedlu nag at draethu. A chyda gafael mor sicr ar iaith, mae honno – yn ei harddull hi'i hun – yn gymar iddi yn y cenhedlu, yn hytrach nag arf yn ei dwylo.

* * * *

Nid er mwyn deall athroniaeth bywyd Kate Roberts am fywyd, nid er mwyn hynny'n bennaf y dylem ni ddarllen ei gwaith, ond er mwyn adnabod bywyd ei hun yn well o gael ei golygwedd neilltuol hi i oleuo'r tir inni. A'r hyn sy'n ein denu i wneud hynny, yn cynnal ein diddordeb yn y gweithiau gorau, ydi ei gallu digymar i ddisgrifio'n gynnil ac yn fewnol gyson, i awgrymu peth wmbredd drwy ddefnyddio amwysedd awgrymog, i ail-greu cyffroadau'r teimlad, i adleisio arogl neu sŵn, ac i weld arwyddocâd tragwyddol yn nhrugareddau pitw ein bywyd pob dydd.

# Y Storïau

# Pryfocio

'Hen gnafon hunanol ydi dynion,' ebe Meri Ifans, gan yfed llwnc o de, fel petae hi'n golchi holl wendidau dynion i lawr ei gwddf gyda'r llymaid hwnnw.

'Ia, *rhai* ohonyn nhw,' ebe Catrin Owen, mewn tôn ddiniwed, fel pe na welsai ond caredigrwydd oddiar law dynion ar hyd ei hoes.

' 'Does fawr o ddewis arnyn nhw,' ebe Meri Ifans, ' 'dydi'r gora ohonyn nhw'n meddwl am neb yn fwy nag amdanyn nhw'u hunain.'

' 'Does gynnoch *chi* ddim lle i gwyno,' ebe Catrin Owen, 'mi fasa gin i reswm dros ddeud peth fel yna.'

' 'Dwn i ddim wir,' ebe Meri Ifans, 'ŵyr neb ddim ond 'i fyw ei hun. Ma talcan y nhŷ i i'r mynydd a thalcan ych tŷ chitha yn gefn simdda i'r drws nesa. Mi fedrwch gau cega defaid a marlod, ond fedrwch chi byth gau cega dynion sy'n byw am y parad â chi.'

Agorodd Catrin Owen ei llygaid mewn syndod. Yr oedd bywyd John a Meri Ifans iddi hi bob amser yn ddelfryd o ddedwyddwch. Gymaint o weithiau y bu hi'n dymuno na buasai hi a Wil ei gŵr cyn hapused â John a Meri Ifans.

'Mae rhai yn medru bod yn greulon yn ddistaw,' ebe Meri Ifans, 'a mae mwy o dwrw i galyn creulondab pobol erill, a'ch anffawd chi ydi'ch bod chi'n byw yng nghanol rhes.'

'Nid creulon ydi Wil,' ebe Catrin Owen, mor danbaid ag y gadawai ei natur ddiniwed iddi ei ddywedyd, 'ond pryfoclyd.'

'Be sy fryntach na phryfocio,' ebe Meri ifans. 'Pan fyddwch chi'n meddwl ych bod chi wedi cael tipyn o ben llinyn ar ych byw, mi erys Wil adra i ddiogi, a chitha'n gorfod troi allan i weithio'r un fath â heddiw.' Gorffennodd ei chwpaned te gyda grym.

'Ond ddaru Wil 'rioed dwtsiad pen i fys yna i 'run fath ag y bydd Robin Huws drws nesa'n gneud.'

'Wel, a deud y gwir gonast, mi fasa'n well gin i gael dyn roe bâr o lygada duon imi rwan  ag y man, na chael dyn fydd yn dal her ar hyd bywyd. A chymyrwch gyngor gin i, Catrin Owen, trowch y tu min ato fo, a byddwch mor bryfoclyd ag ynta. 'Does dim ymhel â thalu i ddynion yn i coin i hunain.'

'Rhaid imi chychwyn hi adra,' ebe Catrin Owen, 'yn 'i wely y gadewis i o 'r bora, ac mi fydd wedi codi'r stryd acw os nad a i adra i wneud cinio iddo fo; a toes acw fawr o lo yn tŷ chwaith.'

'Mi faswn i yn gadal iddo ddiodda tipyn o eisio bwyd ac annwyd,' ebe Meri Ifans.

Cododd Catrin Owen a chymerodd yr arian a'r brintan bach o fenyn gogor a roddasai Meri Ifans iddi am gorddi oddiar y bwrdd.

Diwrnod trwm ym mis Medi ydoedd. Tawch ar y môr, a mwg pawb bron â nogio wrth fyned allan drwy'r corn. Yr oedd rhyw drymder annaturiol yn yr awyr, a rhyw ddistawrwydd rhyfedd ymhobman; y distawrwydd a deimlir yn y wlad pan fo'r ysgol wedi ail agor ar ôl gwyliau'r haf. Ar ddiwrnod fel hyn, ni byddai Catrin Owen mewn hwyl i ddechrau gweithio yn ei thŷ ei hun, wedi bod yn gweithio yn nhŷ rhywun arall. Ar ddiwrnod ysgafn, pan fyddai'r gwynt yn chwythu, ac yn enwedig oni fyddai Wil gartref, byddai mewn hwyl i ddechrau ar ddiwrnod arall o waith yn ei thŷ ei hun. Teimlai'n ddigalon heddiw, nid am fod ganddi fwy o reswm i fod felly nag arfer. Nid dyma'r tro cyntaf iddi fyned allan i gorddi am fod Wil yng nghanol un o'i ffitiau pryfocio. Gwnaethai hynnny lawer gwaith o'r blaen. Gallai rhywun feddwl mai codi ei chalon a wnai ar ôl clywed geiriau pendant Meri Ifans ar ddynion yn gyffredin. Ond ni theimlai Catrin Owen mor ddiddig, beth bynnag am hapus, wedi clywed awgrymiadau o'r fath. Yn ei thyb hi ei hun, hi oedd yr unig ferthyr o wraig yn yr ardal. Ac y mae cael y fraint o fod yr unig ferthyr mewn ardal yn galondid i ddosbarth neilltuol o bobl. Felly Catrin Owen.

Yna dechreuodd feddwl am ei bywyd er pan briododd ddeng mlynedd ar hugain yn ôl. Bu ddigon rhyfedd, fel y buasai ambell wraig wedi ei adael yn hytrach na dioddef rhagor ohono. Yn yr un rhes â hi yr oedd pobl yn byw na wnaent ddim o un pen blwyddyn i'r llall ond gweithio, y gŵr yn y chwarel a'r wraig yn y tŷ bwyta, cysgu a magu plant, heb symud byth o gartre. Beth bynnag am ddedwyddwch Catrin Owen, nid oedd ei bywyd mor undonog â hynyna. Ni chafodd erioed beth mor undonog â chyflog mis efo'i gilydd gan ei gŵr, gan na weithiasai erioed fis llawn. Ac ni chysgai Wil gartref bob amser. Cysgai yn y rhinws bob nos Sadwrn tâl bron, ac ymwelai'r plisman â'r tŷ'r wythnos wedyn, pan fyddai Wil yn ddieithriad yn y chwarel. Cai'r stryd gymaint â hynny'n fwy o amrywiaeth yn eu bywyd ar gorn Wil Owen. Mewn gwirionedd, Wil Owen, a Wil Owen yn unig, a gyfleai bob amrywiaeth yn y stryd. Os byddai'n well gan Wil Owen daflu ei chwyn dros ben ei wal i ardd Robin Huws yn lle 'i ardd ei hun, gwnai hynny tra fyddai Robin Huws yn codi rhawiad o datws. Os byddai'n well gan Wil Owen daflu'r wagen dros y domen yn y chwarel na pheidio â gwneuthur hynny, fe wnai petae yno gant o stiwardiaid yn gweiddi arno beidio.

Ond buasai'n well gan Catrin Owen fywyd undonog ei chymdogion na holl amrywiaeth ei bywyd ei hun. Sut y priododd dau mor annhebyg sy'n gwestiwn i'r nefoedd ei ateb. Gwnai'r fath ieuo anghymharus i chwi gredu mai yn y nefoedd *y* gwneir priodasau. Wil wedi ei eni i garped (yn ôl ei feddwl ei hun) ac yn cael teils. Catrin wedi ei geni i deils a heb ddymuno dim byd gwell. Dioddefodd holl bryfocio'i gŵr, nid am fod ganddi ysbryd Cristion, ond am mai Catrin Owen oedd hi, heb ynni o gwbl cyn belled ag yr oedd ei thafod yn y cwestiwn, ond digon o ynni lle'r oedd gwaith tŷ. Weithiau fe âi'r ynni y meddyliasai ei roddi yn ei thafod i'w breichiau. Fe dystiai'r ffordd y sgwriai'r ffustion ar ambell fore Llun wedi cael ffrae â Wil, i hynny'n dda.

Modd bynnag, y bore hwn, wedi clywed Meri Ifans, daeth rhywbeth i'w meddwl na ddaethai erioed o'r blaen. Gafaelodd yn ei siôl a thynhaodd hi am ei breichiau gyda grym gwraig wedi gwneuthur ei meddwl i fyny.

Wrth fyned i fyny at y rhes dai lle'r oedd yn byw, sylwodd ar eu corn simdde hwy. Yr oedd torchau mawr o fwg yn myned i fyny drwyddo, yn llwyd i ddechrau, ac yna'n bygddu. Dyma un o driciau Wil eto. Gwyddai nad oedd fawr o lo yn y tŷ, a gwyddai nad âi Wil byth i hel priciau. Wrth ddynesu at y tŷ, gwelai ei gŵr yn siarad ag Ann Huws y drws nesaf. Amlwg ar agwedd yr olaf mai ffraeo'r oeddynt. Yr oedd ei llygaid hi'n goleuo mellt, ond edrychai Wil Owen yn ddigyffro hollol, ei ddwylo yn ei bocedi, a'i lygaid yn edrych i rywle rywle, fel pe na bai Ann Huws yno o gwbl. Yr agwedd yma ar Wil Owen a laddai ei gymdogion. Ni fannai dim arno. Chwibanai ef pan fyddai ei gymydog yn maeddu poer yn ei gynddaredd.

'Ydi dy ddillad di yn wynnach na dillad rhywun arall, tybad?' ebe Wil Owen, a deallodd ei wraig mewn munud mai wedi dyfod yno i gwyno'r oedd ei chymdoges ynghylch rhoddi'r simdde ar dân, a'i dillad hithau allan.

Troes Ann Huws ar ei sawdl, gwyddai mai ofer hollol oedd dadlau â charreg admant.

'Mae'n gwilydd bod neb yn gorfod byw yn yr un stryd â dyn fel hyn,' ebe hi'n uchel wrthi hi ei hun, heb sylweddoli bod Catrin Owen yn ei hymyl.

'Dyna'r anfantas o fyw mewn rhes,' ebe'r olaf, er iddi feddwl dwedyd, 'Be tasach chi'n byw yn yr un tŷ ag o.'

Heb ragor na hynyna aeth i'r tŷ yn fwy chwyrn nag arfer. Dyna lle'r oedd ei gŵr, erbyn hyn, yn eistedd wrth danllwyth mawr o dân coed, ystyllennod hir yn ymestyn i'r simdde, a'r fflamau yn ymryson ras ar hyd-ddynt.

'Yn lle cest ti'r coed yna?' oedd cwestiwn cyntaf Catrin Owen.

'Coed y gwely ydyn nhw.'

'Coed be?'

'Coed y gwely. Tân ydi'r dodrefnyn hardda'n y tŷ,' ebe fe, fel ped adroddai ddarn o farddoniaeth.

Pan sylweddolodd Catrin Owen fod ei gwely, ei hunig wely er pan briodasai'i phlant, y gwely a gafodd gan Meri Ifans adeg geni Huw, ei phlentyn hynaf, er nad oedd ond darn o wely wenscot, wedi mynd i'r tân i borthi nwyd bryfoclyd ei gŵr, suddodd ei chalon i waelod ei bod, ond cofiodd am ei phenderfyniad ar y mynydd.

' 'Rydw i 'n mynd,' ebe hi, fel pe bai wedi dywedyd hanner ei phenderfyniad o'r blaen.

'I ble?' ebe'i gŵr, heb droi ei ben.

'I foddi fy hun,' ebe hithau.

'Ma nhw'n deud ma llyn yr Hafod ydi'r gora at beth felly. Ma mwy o ddyfnjiwn ynddo, ddyliwn,' ebe yntau.

Brathodd ei wraig ei thafod, taflodd ei siôl a'i ffedog, a gwisgodd gôt a het. Cychwynnodd tua llyn yr Hafod. Dyma'r llyn yr âi pawb yn yr ardal iddo i roddi pen ar eu heinioes, pan fyddent wedi blino byw, neu'n meddwl eu bod wedi blino byw.

Nid yr un bwriad ag oedd iddi ar y mynydd oedd iddi'n awr. Ar y mynydd, ni feddyliasai am y posibilrwydd y byddai ei hunig wely'n dân coed. Meddwl am dalu Wil 'yn ei goin' yr oedd ar y mynydd. Ond yr oedd hyn yn ormod iddi, a'r meddwl cyntaf a ddaeth iddi oedd myned i'w boddi ei hun, heb ystyried beth a olygai hynny. Ond at y llyn yr aeth, a safodd ar ei lan. Ni wyddai fod Wil wedi ei chanlyn o hirbell a'i fod wedi eistedd ar boncan heb fod yn bell i'w gwylio. Bu Catrin rai eiliadau ar lan y llyn heb wybod ei meddwl ei hun, pan glywodd lais ei gŵr yn gweiddi,

'Plymia, Cadi, plymia. Paid â bod ofn. Plymia. Tydi o ddim yn oer.'

Syllodd Catrin Owen i waelod y llyn, a gwelodd yno rywbeth na welsai neb o'r rhai a fentrodd blymio, a pa beth bynnag a welodd y rheini ar ôl agor eu llygaid mewn byd arall. Fe'i gwelodd hi ei hun yng ngwaelod y llyn hwnnw, mewn brawddeg yn dechrau gyda 'phe,' ac fe welodd, petai'r 'pe' hwnnw'n wir, wên sbeitlyd falch Wil ei gŵr pe dygid ei chorff adref o'r llyn.

Felly, yn lle'i thaflu'i hun i mewn, trodd ar ei sawdl, ac aeth adref.

Ond yr oedd y Diawl ei hun yn ei hwyneb ar ei ffordd adref.

1923

# Nadolig

Noson cyn Nadolig 19— cerddai Olwen Jones ar hyd heolydd Tre Gaer fel pe bai yn ehedeg. Ar ambell funud yr oedd mor ysgafn galon fel y'i teimlai ei hun yn dalach nag ydoedd mewn gwirionedd. Yr oedd ynddi'r teimlad hwnnw o fod wedi gorffen popeth, wedi gorffen anfon anrhegion a llythyrau i bawb. Yr oedd anfon anrhegion yn drafferth, yn enwedig ar ddiwedd tymor ysgol, wedi bod yn marcio cannoedd o bapurau arholiadau a cholli ei gobaith wrth weled cyn lleied o ôl ei llafur ar waith ei phlant. Nid oedd ganddi na'r amser na'r pleser i fyned i brynu anrhegion Nadolig ar ôl gwaith mor galed. Ac eto, rhaid oedd anfon anrhegion, ac fel dyn wedi gorffen ei ddyletswydd, teimlai hithau yn rhydd ac yn braf.

Trwy lygaid yr hapusrwydd hwnnw yr edrychai ar bopeth yn y dref fach brysur hon y noswaith honno. Yr oedd yn bwrw glaw, ond nid yn drwm, rhyw law smwc. Ond er gwaetha'r glaw, yr oedd cymaint o brysurdeb yn y dref a phetai'n ddiwrnod Sasiwn. Gwibiai'r ceir modur drwy'r stryd fel gwybed, a rhedai llewych eu lampau ar hyd y stryd fel slefr, gan ddangos yn eglur yr ysbeidiau rhwng y dafnau glaw a'i gilydd. Llefai eu cyrn yn ddiamynedd, yn wir swnient yn hollol fel dyn wedi colli ei dymer, ac yn gweiddi, 'Ewch oddiar y ffordd.' Disgleiriai goleuni'r ffenestri ar wynebau pobl a phlant, nes rhoi iddynt ryw welwder angheuol neu ryw liw lafant dieithr. Yr oedd y ffenestri'n dlws a phwyntiai plant eu bysedd atynt a gweiddi. 'Ylwch mami, spiwch injian iawn.'

Troai Olwen ei phen weithiau i edrych ar berchennog y llais a gwelai fachgen bychan a chrafat wedi ei lapio am ei ben, dŵr yn rhedeg o'i lygaid gan yr oerni ac o'i ddannedd gan flys, reit siwr. Cofiai am Nadolig ei phlentyndod a'r ias braf o ddedwyddwch a âi drosti wrth dderbyn anrhegion Nadolig – hancetsi poced gan mwyaf. Clywai aroglau'r hancetsi poced hynny yn awr – aroglau defnyddiau newydd, a gwelai y 'Merry Christmas' ar eu conglau mewn amryw liwiau, a llythyren olaf y 'Merry' a'r 'Christmas' yn gorffen mewn rhyw gwafer cyrliog.

Rhyw bethau fel yna a âi drwy ei meddwl wrth gerdded y stryd. Pethau fel yna a phethau fel arall. Wrth feddwl am y pethau eraill ni theimlai lawn mor hapus. Yr oedd Gwilym, ei chariad, i gyrraedd y dref gyda'r trên saith, a cherdded yn ddiamcan i aros y trên yr oedd yn awr. Cyn belled ag yr oedd Gwilym yn y cwestiwn teimlai yn hapus, ond nid felly wrth feddwl am Fiss Davies. Yr oedd Olwen a Gwilym yn caru ers rhyw flwyddyn a hanner, a gwyddai y byddai heno yn gofyn iddi ei briodi. Gwnaethai hynny eisoes a byddai hithau yn rhoi ei gair iddo heno. Teimlai yn berffaith hapus am ei bod yn mynd i ateb yn y cadarnhaol.

Ond pan gofiai am Fiss Davies rhedai rhyw ddüwch hyd ei hapusrwydd, fel cwmwl dros y lleuad. Ei chyfeilles ar staff Ysgol Llanwerful oedd Miss Davies. Ac o bob cyfeillgarwch a fu ar wyneb daear erioed, dyma'r rhyfeddaf ym meddwl Olwen. Yr oedd Miss Davies yn ddeunaw a deugain a hithau yn chwech ar hugain. Pan aeth Olwen i Lanwerfyl gyntaf bedair blynedd yn ôl, yr oedd ynghanol ei galar ar ôl ei chariad gyntaf, Gruffydd, a laddwyd yn y Rhyfel. Yr oedd hi ac yntau yn y Coleg yr un pryd, a daeth y newydd iddi am ei farw yr un wythnos ag y clywodd iddi raddio. Pan ddaeth y newydd olaf, ni roes iddi ddim pleser, na'r newydd ei bod wedi cael lle chwaith. Aeth i Lanwerful fel person mewn breuddwyd, ac felly y gwnâi ei gwaith yn yr ysgol. Ni chymerai unrhyw ddiddordeb yn yr athrawon eraill. Iddi hi yr oeddynt yr un fath i gyd, oddigerth Miss Davies, a'i hoed hithau, ar y cychwyn, a'i gwnai yn wahanol i'r lleill.

Fel yr ai'r amser ymlaen, sylwai fel y safai Miss Davies allan fwy-fwy oddi wrth y lleill. Nid oedd dim cyfathrach rhyngddi â hwy, a sylwai Olwen hefyd fel y mingamai'r gweddill yn aml pan sonnid am Fiss Davies. Nid mingamu ydoedd, mae'n debyg, ond edrychai i Olwen yn debyg i fingamu. Modd bynnag, nid ymddangosai bod hynny yn ymannu dim ar Fiss Davies. Âi ymlaen gyda'i gwaith gyda dyfalbarhad araf yr un a wêl y diwedd yn y golwg. Tosturiai Olwen wrthi, wrth ei gweld yn llusgo hyd y grisiau, ac yr oedd arni ofn weithiau ei gweled yn disgyn yn wysg ei chefn cyn cyrraedd y top. Meddyliai rhyngddi â hi ei hun mai felly y byddai hithau ryw ddiwrnod efallai.

Ac un diwrnod digwyddodd peth rhyfedd, mewn awr a elwir mewn ysgol sir yn awr rydd, ond sydd mewn gwirionedd yn awr o arllwys inc coch fel gwaed llofruddiaethau hyd gopïau plant. Eisteddai'r ddwy yn marcio copïau ar ddiwrnod braf ym mis Hydref, a'r haul yn llifo i mewn ac yn rhedeg drwy ambr gwallt Olwen ac yn dangos y blew mân di-liw ar ei chnawd ieuanc. Edrychai Miss Davies arni â mwy o hiraeth nag o edmygedd yn ei llygaid, er y gallai'n hawdd edmygu'r llygaid gleision hynny a'r gwallt hwnnw a chwaraeai yn yr haul. Dechreuasant siarad am bethau cyffredinol ac o dipyn i beth am bethau personol ac fe'i cafodd Miss Davies ei hun yn gwneud mwy nag a wnaethai â'r un athrawesau eraill erioed – sef yn bwrw ei chyfrinachau i glustiau Olwen. Eglurodd i Olwen mai ei hwyneb caredig a phrudd a'i denodd i wneud hynny. Stori gyffredin oedd ei stori i Olwen, stori debyg i'r hyn a ddarllenasai mewn llyfrau lawer gwaith. Ond gwyddai oddi wrth ddull Miss Davies o'i dywedyd yr ystyriai hi ei stori yn beth hollol ar ei ben ei hun. Buasai ganddi gariad yn ieuanc o'r un alwedigaeth â hithau. Carai ef yn angerddol ac yntau hithau i bob golwg. Wedi caru am ddwy flynedd, priododd ef rywun arall yn hollol sydyn ac ni welsai Miss Davies byth mohono. Caeasai hithau ei chalon i bawb arall wedyn, ebe hi. Yr oedd yn un o'r rhai hynny na fedrai garu ddwywaith. Gweithiodd yn galed yn yr ysgol i geisio anghofio, a rhoes ei bywyd yn gyfangwbl i'w chartref ac i'r ysgol. Bu ei thad yn wael am flynyddoedd a'i harian hi a gadwai'r tŷ. Bu ei mam yn wael wedyn a daliai hithau i weithio ac i roi. Wedi marw'r ddau yr oedd ar goll yn hollol. Daliodd ei gafael yn y tŷ er ei fod yn fawr ac yn wag iddi hi ei hun. Ond ni allai feddwl am fynd i letya. Nid oedd ei bywyd yn awr ond rhyw fynd ymlaen heb ddisgwyl na gobeithio dim, ebe hi wrth Olwen. Nid edrychai ymlaen at ei phensiwn oblegid nid oedd ganddi deulu na chyfeillion i fynd atynt a pheth trist a fuasai byw yn Llanwerful heb fynd i'r ysgol.

Ond ni welsai neb fel Olwen yn fodlon gwrando a chydymdeimlo fel hyn. Ac ar ddiwedd yr awr, gwnaeth beth rhyfedd iawn – rhoes gusan i Olwen ar ei boch. Yr oedd Olwen wedi dychryn, ond ni allai ei rhwystro. Dywedodd un peth hefyd a'i synnodd. Gwyddai nad oedd ei hen gariad yn hapus yn ei briodas, ebe hi. Mentrodd Olwen ofyn sut y gwyddai.

'O, nid trwy glywed straeon,' ebe hithau, 'fy ngreddf i sy'n dweud hynny wrtha i.'

Ni holodd Olwen ychwaneg. Ond o'r munud hwnnw tyfodd eu cyfeillgarwch. Dywedodd Olwen ei hanes hithau a Gruffydd a'i ddiwedd trist yn y Rhyfel. A gofynnodd Miss Davies iddi tybed a fedrai hi garu rhywun arall byth wedyn.

'Dwn i ddim,' ebr Olwen, 'mae arna i ofn nad ydw i ddim yn nabod fy hun yn ddigon da i fedru dweud. Ddim ar hyn o bryd beth bynnag.'

O hyn allan gweddnewidiwyd yr hen ferch i Olwen. Gwelai hi nid fel dynes fusgrell, ond dynes yn Hydref ei bywyd. Ac megis y gwelsai hi'r Gwanwyn yn hardd o'r blaen, yn awr gwelai'r Hydref yn hardd. O hyn ymlaen, nid olion harddwch oedd yn wyneb Miss Davies, ond harddwch ei hun. Harddwch llawnder a chyfoeth yr Hydref. Mae'n wir bod tipyn o rychau hyd ei hwyneb ond yr oedd y darnau rhwng y rhychau yn felfedaidd iawn. Ac ni welsai erioed ogoniant gwallt wedi britho cyn hyn. Teimlai yn awr yr hoffai gymryd brws at wallt Miss Davies i dynnu mwy o'i sidan allan. Gwahoddwyd hi i'w thŷ, ac wedi dechrau, âi yno yn fynych. Golwg lwydaidd oedd ar bopeth yn y tŷ, yr un olwg ag a gafodd Olwen ar ei chyfeilles ei hun i gychwyn, golwg wedi gwywo. Llenni cochion, trwchus ar y ffenestri a'r rheiny wedi colli eu lliw. Soffa a chadeiriau rhawn hen ffasiwn a chlustogau wedi colli eu lliw. Ond cynefinodd Olwen â hwynt yn fuan. Yr oedd gwres y croeso a gâi yn trawsnewid popeth felly. A newidiodd Miss Davies ei hun. Sioncodd ei cherdded, daeth mwy o oleuni i'w llygaid a mwy o fywyd i'w gwallt.

Cryfhaodd y cyfeillgarwch onid aeth yn beth prydferth iawn yng ngolwg y ddwy. Nid âi noson heibio heb i Olwen alw yn nhŷ Miss Davies. Âi â'i chrosio gyda hi neu ei gwnio, ac yn bur aml bac o gopïau i'w marcio. Yr oeddynt yn ddigon cyfeillgar i fedru treulio noswaith gyda'i gilydd heb siarad fawr o gwbl. A chyn mynd adref cai Olwen gwpanaid o de yn ei llaw a theimlai ar y pryd fod hynny'n ddigon o nefoedd i'w chario drwy flwyddyn undonog ysgol. Ni siaradai Miss Davies fyth am ei chariad, ond soniai yn aml am undonedd ei bywyd, a diweddai bob tro trwy ddywedyd faint o heulwen a ddygasai Olwen iddo. Ac i selio hynny bob tro, cusan ar ei boch.

Ac wedyn daeth Gwilym i fywyd Olwen. Cyfarfu ag ef ar ei gwyliau haf, ymhen tair blynedd wedi claddu Gruffydd. Yr oedd cyn sicred erbyn hyn ei bod yn ei garu gymaint ag y carasai Ruffydd erioed. Ond ei fod yn wahanol, wrth gwrs. Nid yw dau garu byth yr un fath. Yn araf y caeodd yr adwy ar ôl Gruffydd, ond fe gaeodd, ac fe roddwyd yr atgofion amdano i'w cadw yn y gell lle y ceidw Amser drysorau o'r fath.

* * * *

Y noswaith cynt, anfonodd Olwen lythyr ac anrheg Nadolig i Fiss Davies. Yn y llythyr dywedodd ei bod yn myned i briodi Gwilym. Yn fyrbwyll yr ysgrifennodd y llythyr. Yn ei hafiaith, tywalltodd ei llawenydd ar bapur. Gwyddai Miss Davies am Wilym, ond sylwasai Olwen bob tro y siaradai amdano wrthi na byddai'r hen ferch yn gwrando rhyw lawer. Fel rheol, troai at ryw destun arall. A chredai Olwen mai meddwl am ei charwriaeth ei hun y byddai.

Heno wrth gerdded y stryd yn Nhre Gaer nid oedd mor siwr. Dechreuodd gwirionedd arall wawrio ar ei meddwl, ac fel yr âi ymlaen at y stesion âi ei hapusrwydd yn llai. Rhyw chwarter awr yn ôl, teimlai fod y dre yn un telpyn o hapusrwydd a bod pawb yn edrych ar fywyd trwy'r un gwydrau â hithau. Ond yn awr, na, nid oedd mor hapus. Cofiai am Fiss Davies o hyd. Sut y teimlai pan gâi ei llythyr yn y bore? Cofiodd am y cwmwl a welodd ar ei hwyneb pan soniodd wrthi am Wilym gyntaf. Cerddai ymlaen ar hyd y stryd ac âi swyn y Nadolig yn llai. Nadolig, Nadolig oedd hi ymhob man. Darnau mawr o eidionnau fel ynysoedd yn ffenestri'r siopau a gwyddau a thyrcwn a'u pennau'n hongian yn llipa dros ymyl y ffenestri. Ni allai'r gyddfau hynny estyn eu pigiau ar ôl neb byth mwy. Pennau moch yn chwerthin arnoch ac *orange* yng ngheg pob un. O! yr oedd y Nadolig yn greulon ym meddwl Olwen erbyn hyn, gwneud sbort o'r mochyn druan, rhoi peth yn ei geg wedi iddo farw nas cawsai erioed yn fyw, a lladd yr holl greaduriaid hyn i borthi blys dyn am ryw un diwrnod. Daeth y cyfnewidiad yma dros ei meddwl rhwng dwy stryd â'i gilydd.

Modd bynnag erbyn cyrraedd y stryd nesaf teimlai'n well. Nid oedd y Nadolig cyn dristed â'r Gwanwyn wedi'r cwbl. Ni allai Olwen ddioddef y Gwanwyn wedi marw Gruffydd. Ni wnâi'r Gwanwyn ddim ond codi hiraeth. Aroglau coelcerthi o'r mynydd grug, cysgodau dwfn ar wyneb Menai, a sŵn gweiddi plant allan yn chwarae fin nos – yn lle rhoi pleser iddi, gwnaent hi'n drist, yn anneffiniol o drist. Gweld popeth yn atgyfodi yn y Gwanwyn ond y meirw. Nid oedd y Nadolig cyn dristed â hynny. Ni chodai eich gobeithion yn rhy uchel. Pan fyddech yn drist yr oedd y dyddiau tywyll, byr yn gydnaws â'ch ysbryd. Pan fyddech yn llawen yr oedd ffenestri siopau, llawenydd plant, ysbryd anrhegu a mwynhau yn gydnaws wedyn. Ac nid oedd y Nadolig heb ei obeithion. Yr oedd yn amser geni dyddiau hwy ac wyneb blwyddyn.

Rhyw feddyliau cymysglyd fel hyn a ddeuai iddi wrth ymlwybro at y stesion. Teimlai yn hapus ambell funud wrth feddwl am Wilym a churai ei chalon yn gyflymach. Ond deuai cwmwl dros yr hapusrwydd bob tro y meddyliai am Fiss Davies. Âi'r cwmwl yn fwy fel y dynesai at y stesion. Sylweddolodd o'r diwedd beth a olygai ei llythyr iddi bore fory, beth a olygai ei phriodi iddi, pan ddigwyddai hynny. Aeth ei choesau i grynu, teimlai fel

Judas, sut bynnag y teimlodd hwnnw pan fradychodd ei Arglwydd. Clywai'r trên yn dyfod i mewn. Fel y torrai ei waedd ar ei chlyw, aeth rhywbeth fel cyllell drwy ei henaid hithau. Gwelai ddynes o fewn dwyflwydd i'w thrigain yn sefyll yn ei thŷ ar fore Nadolig a bob bore ar ôl hynny byth yn unig, a llenni a chlustogau wedi colli eu lliw ac wedi gwywo yn gefndir iddi.

1929

# Buddugoliaeth Alaw Jim

Ni ddigwyddasai'r stori hon oni buasai i'r wraig gael y gair cyntaf ar ei gŵr. Yr oedd hynny mor groes i feddyliau Morgan pan ruthrai allan o'r cae rasus milgwn ac Alaw Jim wrth ei sawdl. Nid oedd arno ofn mynd adre heddiw, diolch i Alaw Jim. Gallai roi papur chweugain ar y ford i Ann wneud fel y mynnai ag ef. Gwnâi hynny iawn am iddo esgeuluso ei ddyletswyddau ar hyd yr wythnos. Mwy na hynny, yr oedd Alaw Jim yn dechrau talu amdano'i hun. A phe nad enillasai'r ras heddiw, yr oedd yn werth, ym meddwl Morgan, ei weled yn rhedeg ar hyd y cae, ei ben yn ymestyn ymlaen, ei groen yn tynhau am ei ais, ac yntau'n symud mor llyfn â chwch ar afon.

Ond yr oedd gweld y pen hwnnw'n ymestyn o flaen yr holl bennau eraill ar y terfyn bron yn ormod i ddyn gwag o fwyd fel Morgan. Ail-fyw'r foment honno a wnâi yn awr wrth gerdded adref, a rhôi ei galon yr un tro ag a wnaeth ar y cae. Credai fod rhedeg milgi yn talu'n well na rhoi swllt ar geffyl, er mai â'r arian a enillodd ar geffyl y prynodd y ci hwn. A chau llygad ar yr ochr ariannol am funud, yr oedd mwy o bleser o gadw ci at redeg. Pa werth oedd mewn rhoi swllt ar geffyl ac yntau heb byth weld y ceffyl hwnnw'n rhedeg? Ni châi ei regi pan gollai ei swllt iddo na'i ganmol pan ddeuai â swllt neu ddau i'w boced. Fel yna y teimlai Morgan yn awr ar ôl cael ci. Fel arall y teimlai cyn ei gael. Yr amser hwnnw, yr oedd yn werth rhoi swllt ar geffyl, petai'n rhedeg fel iâr, os oedd ganddo siawns o ddyfod â swllt arall iddo at ei swllt cyntaf.

O'r dydd y dechreuodd chwarae hap ar geffylau, ni pheidiodd â gobeithio y deuai ffortiwn Rockefeller iddo ryw ddiwrnod. Deuai siawns felly ar draws rhai o hyd, a pham na allai Morgan fod yn un ohonynt rywdro? Yr oedd Ann yn dwp hefyd, yn ffaelu gweled hyn, ac yn dannod iddo'i swllt wythnosol ar geffyl, yn lle dal i obeithio fel y gwnâi ef. Wedi'r cyfan, beth oedd swllt allan o arian y dôl, os oedd siawns i wneud i ffwrdd â phob dôl iddo ef am byth wedyn? Yn wir, yr oedd dynion yn dwp. Yr oedd Morgan wedi hen ddiflasu ar y siarad diddiwedd yma yng nghyrddau'r di-waith, yn protestio yn erbyn y peth hwn a phrotestio yn erbyn y peth arall a neb heb fod fawr well allan. Dyna oedd yn dda mewn ci. Ni allai siarad, a deuai ei fudandod â mwy o arian na holl siarad cynghorwyr a phobl a oedd am fod yn gynghorwyr.

Trotiai gwrthrych meddyliau Morgan wrth ei ochr, bron cyn ddistawed â chath a'i bawennau'n clecian yn ysgafn ar yr heol galed. Yr oedd ei berchennog, o hir dlodi, yn ddigon ysgafn ei gorff, ond rhygnai ei esgidiau di-sawdl ar y palmant. Yr oedd ganddo gap tyn am ei ben a chrafat am ei wddf, ond nid oedd côt uchaf ganddo. Ni feddai'r un. Ond yr oedd yn berffaith hapus. Daeth i'w feddwl brynu rhywbeth i fynd adref i de. Buasai Ann a Tomi wrth eu bodd. Ond fe dorasai hynny ar gyfanrwydd y papur chweugain. Yr oedd am i Ann gael gweld gwerth Alaw Jim.

Yn 364 Darwin Road, eisteddai Ann a Tomi wrth dewyn o dân yn y 'rŵm genol'. Yr oedd yr ystafell yn llawn ac yn fyglyd. Crogai dillad glân wedi eu smwddio ar lein o dan y nenfwd, ac yr oedd gwely bach wrth y tân. Yr oedd yn amhosibl ei chadw'n drefnus gan mai hi oedd yr unig ystafell a oedd ganddynt i fyw ynddi er pan osodasant y parlwr. Yr oedd Tomi yn dechrau gwella ar ôl llid yr ysgyfaint, ac yn awr yn eistedd ar y gwely lle y buasai'n gorwedd rhwng byw a marw ychydig wythnosau cyn hynny. Eisteddai'n anniddig gan ysgwyd ei draed, a'i sanau'n dorchau lleicion am ei goesau tenau. Yr oedd ei wyneb yn llwyd a chlytiau melyn hyd-ddo. Ni fedrai Tomi ddeall yn iawn y dymer yr oedd ei fam ynddi'r prynhawn yma. Byth er pan fu'n siarad â Mrs. Ifans a oedd yn byw yn y parlwr, pan âi honno drwodd i'r gegin fach, ni ddywedasai ei fam lawer wrtho, dim ond eistedd wrth y tân a dau lecyn o wrid ar ganol ei dwy rudd. Ni fedrai Tomi ddeall ond ychydig iawn ar bethau y dyddiau hyn. Dyna Mrs. Ifans a'i gŵr yn byw yn y parlwr, ac nid oedd wiw iddo fynd i chwarae cwato a rhedeg rownd y cadeiriau. Mae'n wir nad oedd arno eisiau rhedeg o gwmpas a blinai'n rhwydd iawn. Ac yr oedd arno eisiau'r pethau rhyfeddaf. Y prynhawn yma yr oedd arno eisiau afu, ond efallai y byddai'n well iddo beidio â gofyn i'w fam a hithau mor od, heb wneud dim fel yna ond syllu i'r tân. Fe gawsai Mrs. Ifans y parlwr beth i ginio, a deuai ei wynt atynt hwy i'r rŵm genol wrth iddi ei ffrïo yn y gegin fach. Dyna'r gwaethaf o fyw mewn darn o dŷ, clywent aroglau'r naill y llall. Weithiau byddai'n wynt hyfryd, meddyliai Tomi, ond dro arall ni byddai. Ta pun, yr oedd gwynt yr afu ganol dydd yn hyfryd, ac yr oedd gwanc yn ei stumog amdano. Wrth gwrs, fe fu Tomi'n hoff o deisen. Nid oedd dim a hoffai'n well na mynd gyda'i fam i siop Y Polyn Melyn, ar nos Wener, a gweld yr holl deisennau. Yr un â rhes o jam a hufen ynddi a hoffai Tomi orau, un bum ceiniog y pwys. Ond rywffordd nid oedd ei blas i de dydd Sul lawn cystal â'i golwg nos Wener. Yn awr, nid oedd arno eisiau ei gweld. 'Mofyn afu yr oedd ef. Efallai yr âi ei dad i'w 'mofyn wedi dyfod tua thre.

Dyna fusnes y ci wedyn. Yr oedd hwnnw'n dywyll i Tomi. Dywedasai ei dad wrtho cyn y Nadolig ei fod am brynu ci yn anrheg iddo, a bu yntau'n breuddwydio am gi bach du a gwyn, a blew 'cwrlog', a llygaid crynion. Fe ddantodd yn hollol pan welodd yr hen gi tenau llwyd â'r llygaid meinion a ddaeth. Ni fedrai ci â hen gynffon hir fel hyn ei siglo i ddangos ei fod yn falch. Ond bob yn dipyn daeth Tomi a'r ci yn ffrindiau, nes mentrodd Tomi ofyn i'w dad a gâi ei alw'n 'Pero'. Chwarddodd ei dad a dweud, 'Wyt ti'n meddwl mai rhyw blwmin ci defed wy i'n mynd i redeg? "Alaw Pero", myn diain i, na, wnaiff e mo'r tro o gwbl.' A chwarddodd wedyn. Sylwai Tomi hefyd nad edrychai ei fam byth yn bles pan fyddai Jim o gwmpas. Ond ddim ods. Yr oedd Tomi'n licio Jim, er ei fod yn dilyn ei dad i bobman. Aethant allan gyda'i gilydd ar ôl cinio i rywle, ac yr oeddynt yn aros yn hir. Tybed a fyddai'n well iddo ofyn i'w fam yn awr am yr afu.

'Mam, a gaf i afu?'

Troes ei fam olwg ryfedd arno, ac yna ail droes ei phen at y tân, a'i gwefusau'n symud fel petai hi'n siarad wrthi hi ei hun. Ateb Mrs. Ifans yr oedd. Dim ods iddi hi ym mh'le'r oedd hi'n mynd i brynu hat. Yr oedd pedair blynedd er pan gafodd un. Fe welsai Ann hat fach bert yn siop Mrs. Griffith am ddau ac un-ar-ddeg. Yr oedd siop Mrs. Griffith yn rhy brid iddi fynd yno ar adeg arall; ond pan fyddai sêl, fe ostyngai Mrs. Griffith y prisoedd yn rhyfedd a chwi fyddech yn siŵr o gael bargen. Nid yr un peth â'r Argyle Stores, lle'r oedd pethau'n siêp bob amser. Pan ddywedodd hi hyn wrth Mrs. Ifans, dyma honno'n gwenu'n ffiaidd ac yn dweud: 'Dyna neis ych bod chi'n gallu fforddo mynd i siop Mrs. Griffith. Ond mae'n siŵr ych bod chi'n gwneud yn dda ar y ci'n awr ar ôl gadel y ceffyle.'

Ac i ffwrdd â hi gyda'r ffrimpan a'r afu.

'Dyna dwp own i,' meddyliai Ann wrthi ei hun yn awr, 'na baswn i wedi dweud bod Morgan wedi colli mwy nag y 'nillws e ar geffyle erioed, ac na chafodd e ddim gyda'r ci hyd yn hyn.'

Ond un oedd Ann a allai feddwl am bopeth i'w ddweud wedi'r digwydd. Niwsans yn ei meddwl mewn gwirionedd oedd gorfod cael neb i'r tŷ. Ond dyna! Ni allent fforddo deuddeg swllt yr wythnos o rent, ac o'r tamaid ecstra a gâi am yr ystafelloedd yr oedd hi'n mynd i gael yr hat newydd, cyn i bobl y '*Means Test*' ddod i wybod amdano a mynd ag ef. Druan o Mrs. Ifans! Y ci'n wir! Daeth ei chynddaredd yn ôl at ei thenant, ac i orffwys yn ddiweddarach ar Morgan. Fe fyddai'n rhaid iddo werthu Alaw Jim cyn y câi neb eto ddannod iddi mai'r ci a dalai am ei hat newydd.

' 'Rwy'n 'mofyn afu, mam.'

Cynyddodd ei llid yn fwy yn erbyn ei gŵr wedi clywed y gri yma. Mi fuasai'n llawer gwell i Morgan roi'r arian a wariai ar y ci i gael tipyn o faeth i Tomi'n awr iddo gryfhau, yn lle bod y bachgen a'r plant eraill heb gael dim ond rhyw de a bara 'menyn o hyd. Penderfynodd fynd i 'mofyn afu gyda pheth o arian yr hat. Fe wnâi les i Mrs. Ifans weld na chafodd hi mo'r hat wedyn. Ac fe gâi Ann, trwy hynny, gnoi cil ar ei haberth.

Pan ddodai ei chôt amdani, clywai Morgan yn dyfod i lawr at gefn y tŷ gan chwibanu ac anwesu Alaw Jim fwy nag erioed wrth gau drws y gegin fach. Fe roes yr olwg hapus ar wyneb Morgan ail fflam yng nghynddaredd Ann, ac yr oedd yr olwg a gafodd Morgan ar wyneb Ann yn ddigon i ddiffodd pob gronyn o frwdfrydedd a'i daliodd rhag cwympo o eisiau bwyd ar y ffordd tua thre.

'Ti a dy hen gi,' oedd geiriau cyntaf Ann, a chyn i Morgan allu casglu ateb at ei gilydd byrlymodd ymlaen:

'Dyma fe'r crwtyn yn llefen am afu a thithe'n gwario d'arian a d'amser ar yr hen gi yna. 'Does dim posib iddo fe gryfhau ar y bwyd mae e'n gael. A dyna plant eraill mas yn yr oerni yn dryched am lo yn yr hen lefel yna, a thithe'n enjoio yn y cae rasus, a phobl yn dannod i fi mod i'n cael dillad newydd ar gefen dy hen gi di.'

Digwyddodd peth rhyfedd yn y fan hon. Yn sydyn, fel fflach, daeth i gof Morgan iddo ennill ar gyfansoddi pedwar pennill i flodyn Llygad y Dydd mewn cwrdd cystadleuol yn y wlad pan oedd yn ddeunaw oed. Yr oedd degau o flynyddoedd oddi ar hynny, a bron gymaint â hynny er y tro diwethaf y daeth i'w gof hefyd. A meddwl mai ei gariad at Ann a'i symbylodd i ysgrifennu'r penillion hynny! Cymerodd ei wraig ei ddistawrwydd yn arwydd o lyfdra ac o gyfiawnder yr hyn a draethai, ac aeth ymlaen:

'A dishgwl yma,' meddai, 'os na chei di wared yr hen gi yna, mi bodda i e'n hunan.'

Ar hyn dyma sgrech dorcalonnus o gyfeiriad y gwely.

'Na wnewch, mam, na wnewch, gwedwch na wnewch chi ddim boddi Jim. 'Dych chi ddim am foddi Jim odych chi, odych chi, mam?'

Dihangodd Morgan rhag y fath drueni, ac wrth droi ei lygaid yn ôl, gwelai Tomi ar lin ei fam a'i ddwylo am ei gwddf yn llefain a gweiddi:

'Gwedwch na wnewch chi ddim' a hithau'n ei gysuro.

'Dyna fe, dyna fe, na wnaf i ddim.'

Aeth dau wrthrych yr holl helynt i fyny'r bryn, ac un ohonynt wedi ei daro'n fud, ac yn meddwl sut yn y byd y bu iddo gymharu ei wraig â blodyn llygad y Dydd erioed. Wedi'r digwydd y gallodd yntau gasglu ei feddyliau at ei gilydd a meddwl am yr holl bethau y gallasai eu dweud wrth ei wraig. Daliai'r llall i drotian yn dawel wrth ei ochr.

Yr oedd llwydrew yn yr awyr a chrwybr ysgafn dros wyneb y wlad, nes ei gwneud yn llwyd olau. Deuai aroglau ffrïo cig moch ac wynwyn o dai yr âi Morgan heibio iddynt ar ei ffordd i fyny. Wedi dringo ychydig, eisteddodd ar garreg a throi ei lygaid at y gorllewin. Yno âi'r haul i lawr dros ysgwydd bryncyn. Yr oedd yr olygfa'n un i'w chofio byth. Dyna lle'r oedd yr haul yn belen fawr o liw oren, ei godre o liw oren tywyllach, a'r holl awyr lwyd yn gefndir iddi. Cuddid y tai hyll yn y llwydni. Bob yn un ac un deuai goleuni'r lampau i ddawnsio yn yr heolydd ac yn y tai, ac yr oedd y cwm yn ogoneddus.

Daeth cryndod annwyd dros Morgan a chododd ar ei draed. Daeth heddwch eto'n ôl i'w galon. Yr oedd am fynd tua thre a'r ci gydag ef, a rhoi'r chweugain ar y ford i Ann, hyd yn oed petai'n rhaid redeg allan wedyn.

1937

# Cathod Mewn Ocsiwn

Eisteddai Elen yn ei pharlwr, yr oedd ar dyd mynd i'r ocsiwn ac ar dyd peidio. Nid oedd arni daro am y cwpwrdd cornel erbyn hyn. Hen ddyhead wedi oeri oedd y meddwl amdano heddiw oherwydd methu cael un ar ôl chwilio blynyddoedd. Pan glywodd fod gan y ddiweddar Mrs. Hughes un ymysg ei dodrefn, daeth mymryn o'r dyhead yn ôl. Eithr yn awr,wrth edrych dros yr hen bethau yma yn ei pharlwr ei hun, ni roddai meddwl amdano lawer o bleser iddi. Yr oedd yr un fath â chael plentyn wedi i'r plant eraill i gyd dyfu i oed, a byddai'r cwpwrdd cornel yr un fath â thyfiant annaturiol ar fonyn coeden. Yr oedd ei dwylo wedi cwyro'r rhai hyn dros gyfnod hir nes oedd eu hwynebau mor llyfn â sidan pur, ac yr oedd sôn nad oedd Mrs. Hughes wedi malio llawer yn ei thŷ. Os felly, byddai'r cwpwrdd cornel yn debycach fyth i blentyn annisgwyl. Ond weithiau fe ddoid i garu'r plentyn annisgwyl yn fwy na'r lleilll. Yr oedd am fynd i'r ocsiwn.

Eisteddodd drachefn, a'r tro hwn edrychodd ar ei dodrefn o'r ochr arall i'r bedd. Rhyw ddiwrnod fe'u didolid i gyd oddi wrth ei gilydd; âi'r dresel i un man, y gist i le arall, y bwrdd derw i fan arall, a byddent fel plant amddifaid wedi eu gwahanu a chael eu mabwysiadu gan deuluoedd gwahanol ac ni byddai ei dodrefn hi ei hun ddim gwahanol i ddodrefn Mrs. Hughes erbyn hynny. Cofiodd y munud nesaf mai o'r ochr arall i'r bedd y gwelai hyn, ac ni faliai. Diflannodd y pigiad a roesai'r meddwl iddi. I Mrs. Hughes heddiw nid oedd o wahaniaeth yn y byd sut y cadwasai ei dodrefn. Cyn nos byddent wedi eu sgrialu i wahanol gyfeiriadau fel matiau o dan draed ci gwyllt.

Â, fe âi. Eithr oedodd eto ac eistedd. Dechreuodd feddwl am Mrs. Hughes. Nid adwaenai hi'n rhy dda er ei bod yn mynychu'r un capel. Yr oedd y weddw farw yn perthyn i griw o ferched a siaradai Saesneg bob amser er bod eu Cymraeg yn well, yn gweithio gydag arwerthiannau gwaith, yn paratoi bwyd Cyfarfod Misol a swper y Gymdeithas Lenyddol, yn gwneud pob dim na wnâi Elen mohono. Fel un o fwndel y meddyliai Elen amdani, heb unrhyw beth arbennig i'w gwneud yn weladwy yn y bwndel o'r merched trigeinmlwydd hyn. Yn wir, yr oedd y peth gwahanol i'r lleill ynddi yn ei gwneud yn fwy di-sylw ac yn ei thoddi fwyfwy i'r bwndel a'i chuddio ynddo. Gwisgai'r lleill ddillad trwsiadus, amryliw, cyrlient eu gwallt a lliwient eu gwefusau – ceisient wella ar natur. Yr oedd Mrs. Hughes yn ddi-liw, yn gwisgo dillad llwyd, lliw pupur a halen bob amser, ac yr oedd ei gwallt, a oedd wedi dechrau britho'r mymryn lleiaf, yn ymdoddi i'w dillad fel dŵr ffrwd yn rhedeg i afon. Gwnâi popeth ynglŷn â hi iddi edrych yn salach nag ydoedd. Ni wyddai neb pan gâi ddillad newydd – yr un lliw fyddent.

Yr oedd ganddi ddigon o arian meddid, ac yr oedd yn grintachlyd meddid: erbyn hyn yr oedd y stori ar led fod ei thŷ yn flêr a gwaeth na hynny, er y gallasai fod fel arall gan fod ganddi ddigon o arian i dalu am help. Yn wir, meddai'r storïwyr hyn, ni ddylsai fod wedi marw o gwbl. Fe'i cawsid yn farw yn ei gwely un bore wedi i rywun dorri i mewn i'r tŷ am nas gwelsid hi ers rhai dyddiau a bod nifer o boteli llefrith y tu allan i'r drws. Pe cawsai'r meddyg hi mewn pryd meddent (nid oedd fawr o'i le arni) gallasai fod yn fyw heddiw. Yna chwyddodd dychymyg y storïwyr pam na alwasai neb i mewn, na'i ffrindiau na'r meddyg, a chanddi hithau deleffon: nid oedd arni eisiau i neb weld sut le oedd yno, oblegid, meddent yr oedd olion ei bod wedi codi i wneud tamaid iddi hi ei hun fwy nag unwaith. Ond dyna fo, nid busnes detectif oedd ei busnes hi, meddyliai Elen. Ei gwaith hi fyddai prynu'r cwpwrdd, os gwnâi. Ie, os. Sylweddolodd hefyd mai marw'r wraig yma mor ddirybudd oedd ei gwir reswm dros ei diffyg dyhead am gael y cwpwrdd yn awr. Beth petai hithau –? Daeth trymder drosti. Ond fe âi er hynny, câi weld pobl, câi weld bywyd. Yr oedd ocsiwn yn rhan o fywyd, hyd yn oed ocsiwn ar eiddo'r marw. Dyna oedd bywyd, y byw yn prynu pethau'r marw, y byw yn byw am dipyn. Fe gâi weld ei ffrind Margiad hefyd. Âi hi i bob ocsiwn heb feddwl am brynu dim, er mwyn cael gweld pobl mewn amgylchedd gwahanol i amgylchedd pregeth, drama a chyngerdd. Yr oedd pobl yn wahanol mewn ocsiwn meddai ei ffrind.

Anelodd am yr ystafell lle'r oedd y dodrefn, y parlwr mae'n debyg. Yr oedd y cwpwrdd cornel yn ei le. Cwpwrdd da iawn, yn llawn o bosibiliadau pan lanheid ef. Byddai'n rhaid gwneud mwy na hynny i'r ystafell ei hun. Hen bapur ar y muriau ac ôl dŵr glaw a lleithder hyd-ddo, yn fap o Sir Fôn uwchben y lle tân ac yn fap o drefi'r Canoldir o dan y ffenestri. Yr oedd teils o'r aelwyd wedi dyfod i ffwrdd yma ac acw a'i gwneud yn debyg i rywun wedi colli rhai o'i ddannedd gosod. Sylwasai cyn dyfod i mewn fod llenni'r ffenestri yn edrych yn eithaf, ond oddi mewn edrychent fel rhwydwaith pwdr yn barod i ddisgyn. Ni buasai Elen yn synnu pe disgynnent ohonynt eu hunain yn ddistaw fel gwlith wedi i ryw ysbryd eu gollwng o'i law. Yr oedd llwch blynyddoedd wedi caledu ar ymyl y sgertin nes oedd fel edau bacio.

Deuai prynwyr i mewn o'r ystafelloedd eraill. Gwelodd hithau gadair ac eistedd arni. Yr oedd dynes ifanc yn eistedd eisoes ar gadair arall fel petai wedi ei hoelio wrthi. Nid edrychai ar neb. Edrychai fel petai newydd briodi, yn dwt o'i sgert den lwyd hyd i'w gwefusau main cochion. Yr oedd ugeiniau o rai tebyg iddi hyd y dref ar y pryd: ei gwallt wedi ei dorri yn y ffasiwn ddiweddaraf, yn ddim yn y tu nôl ac yn dusw tew yn y tu blaen, a gwneud iddi edrych fel iâr grib clipa. Ar y chwith i Elen yr oedd ysgol fechan at waith tŷ, a dyn tua thrigain oed yn eistedd ar ei phen, yn gwisgo sbectol ddwy olwg, a phob tro y deuai rhywun i mewn edrychai trwy'r isaf. Toc daeth Margiad yno, a chafodd gadair i eistedd rhwng Elen a'r wraig ifanc.

'Wyt ti am brynu rhwbath?'

' 'Dwn i ddim. Ella. Y cwpwr' cornal.'

Troes y wraig ifanc ei phen y mymryn lleiaf a'i symud yn ôl. Curai ei throed yn nerfus yn y llawr a throai ei modrwy o gwmpas ei bys.

'Mae pethau'n mynd yn dda yma er gwaetha'r olwg arnyn nhw,' meddai Margiad.

Daeth pedair o ferched i mewn, ffrindiau'r ddiweddar Mrs. Hughes, ac eistedd ar fainc yn ymyl. Nodiasant ar Elen. Yr hynaf ohonynt, Mrs. Jones, oedd ffrind pennaf Mrs. Hughes. Âi'r ddwy am wyliau gyda'i gilydd bob blwyddyn. A meddai hi:

'Feddylis i 'rioed fod yma ffasiwn le. 'D oedd dim rhyfadd nad oedd hi byth yn gofyn imi ddŵad yma.'

'Na, mi'r oedd tai pobol erill yn well,' meddai un o'r lleill.

'Ac yn rhatach,' meddai Mrs. Jones.

'Gwranda,' meddai Margiad.

'Pwy fedar beidio,' meddai Elen.

Troes Mrs. Jones ei phen i fyny ac edrych o gwmpas muriau'r ystafell a'r nenfwd, fel petai hi'n edrych ar yr awyr ac yn cyfri'r sêr.

'Pan fydda *i* farw,' meddai, 'fydd fy nhŷ *fi* ddim yn fudur fel hyn.'

Edrychodd y dyn bach arni drwy ran isaf ei sbectol, a rhoi rhyw 'Hy' sbeitlyd yn ei wddw.

Daeth rhywbeth dros galon Elen fel petai rhywun wedi rhoi powltris oer arni. Cododd bwys arni.

'Y Jiwdas,' meddai Margiad dan ei dannedd: 'y bitsh' meddai wedyn.

'Sh,' oddi wrth Elen.

Iddi hi, yr oedd Mrs. Hughes yn fwy na'r ddiweddar Mrs. Hughes y munud hwnnw. Daeth yn ôl yn fyw, yn rhan o'r bwndel merched tua'r capel, yn edrych arnynt ac yn gwenu, yn ei mwynhau ei hun yn eu cwmni yn ocsiwn rhywun arall. Yna disgynnodd allan o'r bwndel fel ysgub oddi wrth stwc o ŷd.

Daeth rhagor o bobl i mewn, ac edrychai'r wraig ifanc yn fwy nerfus. Deuai lleisiau eraill o'r cefn, ac un yn uwch na'r lleill, llais ac acen dynes o'r wlad.

'Cofiwch chi, 'roedd Mrs. Hughes yn hen beth glên iawn, a'i gwên i bawb heb wahaniaeth. Dim llawar o ddim yn 'i phen hi, ond mi'r oedd hi'n drymp iawn i'w ffrindia ac yn ffyddlon iawn. 'Roedd hi a'i gŵr yn hapus iawn efo'i gilydd.'

Daeth yr arwerthwr i mewn, a dechreuodd y wraig ifanc frathu'i gwefusau. Y cwpwrdd cornel a roed i fyny gyntaf.

'Teirpunt,' ebe'r dyn bach oddi ar yr ysgol, fel petai'n falch o'i gael oddi ar ei stumog.

'Tair a choron,' oddi wrth y wraig ifanc yn ddistaw gan wyro ei phen a'r tusw gwallt yn symud ymlaen fel petai hi'n fyharen ar fin twlcio'r arwerthwr.

'Tair a chweigian,' meddai Elen yn fwy ysbrydol nag y tybiai y gallai fod.

'Tair a deuddeg a chwech,' oddi wrth y dyn bach.

'Tair a phymtheg,' ebe Elen yn uwch.

'Pedair punt,' oddi wrth y wraig ifanc.

'Pedair a chweigian,' oddi wrth Elen.

'Whiw,' ebe'r dyn bach a dyna ddiwedd ar ei gynnig.

'Pumpunt,' ebe'r wraig ifanc bron yn ffyrnig.

'Pum gini,' ebe Elen.

Pwysodd Mrs. Jones ei phen ymlaen heibio i'r merched eraill i edrych arni, a daeth ysbryd newydd i Elen yr hoffai gael y cwpwrdd cornel iddi hi ei hun, nid yn ychwanegiad at yr hen ddodrefn yn ei pharlwr, ond yn rhywbeth i gofio'r wraig farw ddi-liw, yn rhywbeth i ddweud wrthi, 'Mi brynis i hwn yn ych ocsiwn chi o dosturi am fod ych ffrindia wedi'ch gadael chi.'

'Pump a chweigian,' meddai'r wraig ifanc.

Yr oedd Elen ar fin codi coron arall pan edrychodd y wraig ifanc arni yn ymbilgar a'i phen ar un ochr, fel y bydd ambell gi wrth glywed rhywun yn chwibanu wrth ei ymyl. Gorchfygwyd Elen, a sodrodd yr arwerthwr y cwpwrdd i'r wraig ifanc am bum punt a chweigian. Aeth hithau allan yn syth heb edrych ar neb.

Nid oedd gan Elen ddiddordeb yng ngweddill y dodrefn, ond ni chododd i fynd allan. Aeth i synfyfyrio . Ar y llawr wrth ei hymyl yr oedd hen garped llipa wedi ei blygu'n flêr. Edrychodd ar ei blygion, ac o dipyn i beth fe droes y plygion yn ffurfiau wyneb, yn drwyn, ceg, talcen a chlustiau. Troesant yn wyneb corff marw mewn bedd, yn llwyd fel pwti, yn ddihitio o feirniadaeth, corff dynes wedi ei gwahanu oddi wrth ei phethau a werthid yn ei thŷ heddiw, yn ddidoledig oddi wrth ei ffrindiau. Syllodd Elen ar yr wyneb yn hir gan ddisgwyl gweld y ffurfiau yn newid, a bod un mynegiant o wên iddi hi ynddo am ei bod wedi rhoi un meddwl caredig iddi. Ond ni chafodd un. Y munud nesaf daeth dyn i mewn i'r ystafell yn gwisgo esgidiau trymion. Sathrodd y carped a diflannodd y ffurfiau. Yr oedd wedi sathru wyneb y marw yn ei harch.

Gorffennwyd gwerthu cynnwys yr ystafell, a chyn i'r dyn bach ddyfod i lawr oddi ar ei ysgol, daeth dynes ddel, siriol ato.

'Gawsoch chi o, cariad?

'Naddo, pa siawns sy gin ddyn yn erbyn diawlad o ferchaid penderfynol.'

'Dim. Dyna pam y gyrris i chi yma. Dowch adra, cariad. Mae gin i samon i de.'

'Gwell o lawar. 'Does dim rhaid cael cwpwr cornal i gadw tun samon.'

Aeth y ddau allan yn hapus, a symudwyd yr ysgol i ystafell arall.

''Rydw i am fynd adra,' meddai Elen wrth ei ffrind.

'I be? Tyd i'r rŵm arall inni gael gweld be sy 'no.'

''Rydw i wedi gweld a chlwad gormod.'

''Rwyt ti wedi dy siomi am na chest ti mo'r cwpwr cornal.'

'Naddo. Mae rhywun sy'n dechra byw wedi'i gael o.'

'Hen beth reit hunanol.'

'Siŵr iawn. Hunanol ydy pawb mewn ocsiwn.'

Yr oeddynt wedi eu cario i'r ystafell nesaf, lle y gwerthid cymysgedd o bethau, hen ornaments, hen bictiwrs, dillad gwlâu newydd heb erioed eu tynnu o'u plygiad, yn gynfasau a phlancedi, ac ymylon y plygiadau wedi maeddu. Pentyrrau o ddillad isaf heb erioed eu hagor.

'Beth oedd ar y ddynas?' meddai Margiad, 'pam na fasa hi wedi'u gwisgo nhw i gael mymryn o fwyniant.'

'Ella'i bod hi'n meddwl gneud rywdro.'

Yr oedd ffrindiau Mrs. Hughes yno hefyd.

' 'Roedd gynni hi ddigon o ddillad isa i fedru newid yn amlach,' meddai Mrs. Jones.

'Tewch,' meddai un o'r lleill, ' 'i brawd hi ydy hwn sy'n cerddad o gwmpas.'

'Wneith o ddim drwg iddo fo glwad. Mae'n amlwg mai'r un peth ydy ynta, ne mi fasa'n mynd â phetha fel hyn adra yn lle 'u gwerthu nhw ar ocsiwn.'

Mynnodd Margiad aros hyd y munud dwaetha a mynd trwy'r tŷ i gyd i sbecian. Aeth Elen i mewn i'r parlwr lle y buasai'r cwpwrdd cornel. Buasai rhywun yn ei nôl; yr oedd y cadeiriau wedi mynd hefyd, ac nid arhosai dim ar ôl ond y carped plyg ar ganol y llawr. Ceisiodd Elen weld yr wyneb ynddo eto; ac fesul tipyn fe ddaeth yn ôl. Yr oedd wyneb Mrs. Hughes yn edrych ar ystafell wag yr un mor ddihitio â chynt, ond y tro hwn fel petai hi wedi cael buddugoliaeth ar bawb. Yr oedd y geg wedi ei chau yn dynnach. Symudodd Elen at ffenestr ac edrych ar y carped o'r cyfeiriad hwnnw. Deuai haul y prynhawn i mewn trwy'r ffenestr a tharo ar y muriau pyg a rhoi patrwm y ffenestr ar y llawr. Fe allai'r ystafell hon fod yn siriol eto ryw ddiwrnod, meddyliai Elen. Syllodd eto ar y carped. Daeth newid i'r wyneb, yr oedd y geg yn gwenu.

Daeth Margiad i mewn a'i dal hi'n syllu.

'Be sy arnat ti? Wyt ti'n sâl? 'Rwyt ti'n wyn fel y galchan. Tyd adra i gael panad efo mi. Mi fuom i trwy'r tŷ. 'Does yna ddim byd ar ôl ond tamad o sebon yn y bathrwm.'

Wrth iddynt fynd allan drwy'r lobi yr oedd brawd y ddiweddar Mrs. Hughes yn siarad efo ffrindiau ei chwaer.

'Ocsiwn dda iawn,' meddai, 'wedi gwerthu pob dim a chael prisiau ardderchog.'

Trodd Elen yn ôl i edrych ar y tŷ. Yr oedd y llenni o hyd ar y ffenestri, ac edrychai'r tŷ yr un fath â phan oedd y perchennog yn fyw. Dim ond y rhai a fuasai i mewn a wyddai mai cneuen goeg ydoedd.

'Pam wyt ti mor ddistaw?' gofynnodd Margiad uwchben y cwpanaid te.

'Meddwl yr ydw i.'

'Meddwl am be'?'

'Meddwl am Mrs. Hughes.'

'Twt, mae hi wedi peidio â bod erbyn hyn.'

' 'Dwn i ddim. 'Roedd hi'n fyw iawn i mi y pnawn yma, yn fwy byw nag y buo hi 'rioed yn 'i bywyd.'

‘ ’Doeddat ti ddim yn meddwl llawar ohoni hi pan oedd hi’n fyw.’

‘Na. Mae’n rhaid i rai pobol farw cyn y down ni i nabod nhw.’

‘Wel, mi ’llasa fod yn fyw heddiw petasa hi’n llai crintachlyd. ’Roedd gynni hi ddigon o fodd i dalu am help.’

‘ ’Roedd bywyd wedi mynd yn drech na hi.’

‘Os oedd o, ’doedd dim rhaid i hynny fod wedi digwydd ’chwaith.’

‘Wyddon ni ddim. Wyddon ni ddim beth ydy’r peth cynta’ sy’n ildio ynon ni.’

‘Mi ’llasa wario’i harian. Sbia fel y bydd y brawd yna a’i wraig yn ’i sbondio nhw.’

‘Digon tebyg. Ond wyddon ni ddim beth ydy’r peth bach hwnnw sy’n dechra gwrthod gweithio i ni, yn dechra mynd yn rhy ddihitio hyd yn oed i wario’n harian. ’Roedd hi’n gwario ar rai petha.’

‘Oedd. Mi ’roedd hynny’n beth rhyfadd iawn.’

‘Chawn ni byth wybod beth oedd y pry bach ddechreuodd i madru hi a sugno’i hynni hi. ’Dydw i ddim yn meddwl mai ofn i neb weld i thŷ hi oedd arni. ’Roedd y ddynas wedi’i gorchfygu.’

‘ ’Rwyt ti’n rhy garedig wrthi hi.’

‘Fel y dylen ni fod wrth y marw.’

‘Ella dy fod ti’n iawn. Ond wela i ddim pam mae’n rhaid i ni fod yn ddigalon o achos Mrs. Hughes.’

‘Deunydd Mrs. Hughes ydy’n deunydd ninna.’

‘Wel ’rydan ni’n fyw heddiw. Ŷf dy de. Cym ragor o’r brechdana yma.’

Daeth John, gŵr Margiad adre o’i waith.

‘Sut ocsiwn gawsoch chi? Brynes di rwbath, Elen?’

‘Naddo.’

‘Mi roth i mewn ar y cwpwr cornal i ryw fymryn o hogan bach newydd briodi.’

‘Mae gen ti ddigon o ddodran, ac mi fydd ocsiwn ar dy betha ditha ryw ddiwrnod,’ meddai John.

Gadawodd Elen hwynt. Byddai’r ddau yn ei thrafod wedi iddi droi ei chefn, a Margiad mor ddihitio â’r corff marw a welodd y tro cyntaf yn y carped, yn dylyfu gên wrth ddweud hanes yr ocsiwn wrth John. Ocsiwn fel pob ocsiwn oedd hon i Margiad, lle i weld pobol ac nid i'w hadnabod, yn fyw nac yn farw.

Wedi cyrraedd y tŷ, eisteddodd yn ei pharlwr ac edrych yn garuaidd ar ei dodrefn. Yr oeddynt yn gyfain gyda'i gilydd ac fe gaent fod yn gyfain. Nid gair John, gŵr Margiad, fyddai'r gair olaf ar ei dodrefn hi. Yr oedd am ysgrifennu at ei thwrnai iddo newid darn o'i hewyllys – fod ei dodrefn i'w cadw gyda'i gilydd mewn storws hyd oni phydrent a syrthio oddi wrth ei gilydd fel llenni Mrs. Hughes.

1964

# Y Golled

Curai calon y *bus* yn gyflym, ac felly y curai calon Annie oddi mewn. Curai ei chalon gymaint yn ei meddwl fel yr ofnai i'w gŵr a eisteddai wrth ei hochr ei chlywed.

'Yn tydi hi'n braf, Ted?' ebe hi wrth ei phriod.

'Ydi,' ebr yntau, 'yn braf iawn.'

Iddi hi ymestynnai'r mynyddoedd oedd o gwmpas Creunant o flaen ei llygaid, a deuai gwên dros ei hwyneb wrth feddwl am y dedwyddwch a allai fod iddynt y diwrnod hwnnw wrth lan y llyn ynghanol y mynyddoedd.

Tywynnai'r haul yn gynnes ar ffenestr y *bus*, a throai hithau ei grudd ato i dderbyn ei holl wres ac ar yr un pryd yn ceisio dal y rudd arall cyn nesed ag y medrai i'w phriod i ddal pob gair a ddeuai o'i enau. Ni feddyliai am ddim ond am y prynhawn yr oedd i'w dreulio gyda'i phriod ar y mynydd. Nid oedd y golygfeydd a basiai yn ddim wrth yr olygfa oedd yn ei haros, ac felly ni thalai ddim sylw iddynt. Yr oedd yn ymwybodol o frigau perthi yn rhygnu ar hyd gwydr y *bus*, a chaeai ei llygaid rhag ofn iddynt ei tharo. Yr oedd yn ymwybodol o beiriant y *bus* yn curo dan ei thraed megis, a'i gŵr wrth ei hochr yn gogwyddo'i ben at ei mynwes ac aroglau baco ar ei ddillad.

Ei syniad hi oedd cael y tro yma i'r mynyddoedd ar y Sul fel hyn i edrych a gai hi rywfaint o'i hamser caru yn ôl. Yr oedd blwyddyn a hanner er eu priodas, ac nid oedd hi yn rhyw fodlon iawn. Yn ôl ei natur farddonol hi o edrych ar bethau, disgwyliai i fywyd priodas fod yn barhad o dymor caru, er ei bod dros ei deg ar hugain pan briododd. Aethai ei gŵr yn fwy rhyddieithol ar ôl priodi. Iddo ef, yn nhermau ei dref enedigol, rhyw 'setlo i lawr' oedd priodi; slipanau, tân, baco, papur newydd, a'i wraig yn gorffen y darlun trwy eistedd ar gadair gyferbyn yn gweu. Ni ddaeth i'w feddwl ef bod angen am siarad iaith garu ar ôl priodi. Teimlai hithau iddi golli cariad wrth gael gŵr.

Ted Williams oedd ei enw, ond Williams y gelwid ef ymhobman, ac eithrio ar ei botel ffisig, a chan ei wraig. Mr. Williams oedd ar ei botel ffisig, a Thed y gelwid ef gan ei wraig. Ar ôl priodi daeth Ted yn Williams iddi hithau yn ei meddwl, er mai Ted ydoedd ar ei thafod. Fel Williams y gŵr y meddyliai amdano.

I geisio gwrthweithio'r teimlad hwn, penderfynodd gael diwrnod yn un o'u hoff gyrchfannau adeg caru, a gwneuthur Williams yn Ded eto'n ôl. Bu'n ffodus iawn yn ei chyfle i'w hudo am dro ar y Sul. Yr oedd yn dda gan ei enaid yntau gael gadael y dref, ac yn enwedig adael Lloyd a'r Cyfarfod Athrawon. Pa beth bynnag a drinid mewn Cyfarfod Athrawon, byddai'r Lloyd yma'n sicr o'i wrthwynebu ef. Yr oedd yn rhywyr i Lloyd ymadael neu farw, dim llawer o wahaniaeth pa'r un. Ni wyddai Williams sut y gadawai pobl y capel iddo gael ei ffordd ei hun efo phob dim, ag yntau'n ddim ond dyn dwad. A'r Sul blaenorol yr oedd Lloyd yn groesach nag arfer. Mater trip yr Ysgol Sul oedd gerbron. Pan oedd pawb arall yn crafu ei ben i edrych pa dref oedd orau yng Ngogledd Cymru i fynd â'r plant, mentrodd Williams gynnig y Rhyl, er mwyn cael mynd adref i dê yn o fuan. Fel pe wedi ei daro gan ddrychfeddwl sydyn, cynigiodd Lloyd nad oeddynt i gael trip y flwyddyn honno, eu bod i gael tê parti yn lle trip. Âi trip yn ddrud iawn, a mwy na hynny, digwyddai damweiniau erchyll bob blwyddyn gyda thripiau Ysgol Sul. A chyda thrychineb holl dripiau Ysgolion Sul y byd ar ei wedd, eisteddodd i lawr. Gwelliant Lloyd a enillodd, ac aeth Williams adref, gan regi yn ei frest a gobeithio y cai pob plentyn y frech goch, yn ysgafn, ddiwrnod y tê parti. Hanes y Cyfarfod Athrawon a gafodd ei briod yn hufen gyda'i theisen gyrrants adeg tê. Chwerthin yn galonnog y byddai hi am ben pethau fel hyn. Ond blinent ei phriod yn ddifrifol, a thrwy'r wythnos, wrth ei waith yn y post, yr oedd Lloyd fel diffyg ar yr haul iddo. Dim rhyfedd, felly, iddo gydsynio mor barod pan awgrymodd ei wraig Lyn Creunant yn lle Ysgol Sul iddo'r Sul nesaf. Gwyddai hi'n iawn sut y teimlai ef, ond ni wyddai ef ddim o'i meddyliau hi.

Fel yr ysgrytiai'r *bus*, ysgrytid Lloyd i ffwrdd oddiar feddwl Williams, a daeth yn ei le y pleser o weled gwair yn ymdonni yn y caeau a brithder gwyddfid a rhos yn y perthi. Ac o dipyn i beth daeth yntau i edrych ymlaen at eistedd ar lan Llyn Creunant eto.

Yr oedd y daith o Lanwerful, y fan lle stopiai'r *bus*, i fyny i'r Llyn, yn boeth, a da oedd cael eistedd ar ei lan er gwaethaf y pryfed a droai o gwmpas eu trwynau. Wedi cyrraedd golwg y Llyn gwelodd Annie ddau beth i'w blino. Y peth cyntaf oedd tri cherbyd modur wrth lan y llyn – cerbydau pobl fawr.

'Pam na fasa'r bobol yma'n gadael i ceir yn Llanwerful, yn lle dwad â nhw reit at y lan y llyn?' ebe hi.

'Ia,' ebe yntau, 'mi fasa'n gwneud lles i bobol dagellog fel hyn gerddad, a mi fasa'n lles i'r olygfa fod hebddyn nhw na'u ceir.'

Peth arall oedd y capel bach oedd ychydig lathenni oddi wrth y llyn. Capel bychan, bach, ydoedd, rhyw ddwy ffenestr a drws. Ond yr oedd ar Annie ofn ei fod yn ddigon o gapel i atgoffa ei phriod am Lloyd. Ond i Williams, nid yr un peth oedd capel yn y wlad ag yn y dref, ac ni chafodd yr effaith a ofnai ei wraig arno.

Eisteddent ar eu lled-orwedd ar lan y llyn. O'u blaen yr oedd mynyddoedd mawr yn sefyll fel ceiri rhyngddynt a'r awyr, porffor y grug a melyn yr eithin yn ymdoddi i'w gilydd arnynt onid oeddynt yn lafant llwyd.

Wrth eu traed yr oedd dŵr y llyn yn llepian yn gyson fel cath yn taro ei phawen ar eich glin o hyd i gael eich sylw. Golygfa i'w hyfed ac nid i'w disgrifio ydoedd; golygfa i'ch meddwi ac i'ch gwneuthur yn ben-ysgafn. Gyda chil ei llygad gallai Annie weld y capel bach.

Beth a âi ymlaen yno, tybed? A oedd yno gyfarfod athrawon a phobl yn ffraeo? Na, amhosibl bod yno fwy nag un dosbarth na mwy na un athro.

'I be mae ar y bobol yma eisio mynd i'r capal mewn lle fel hyn?' ebe hi wrth ei gŵr. 'Mi fasa dyn yn meddwl na fasa pobol fel hyn byth yn stopio addoli ynghanol yr holl harddwch yma.'

' 'Twn i ddim, os nad er mwyn cael gweiddi. 'Llaswn i

feddwl y basa'n rhaid iddyn nhw fynd i rywla i weiddi wrth weld y fath harddwch.'

'Ia, reit siwr, felly mae hi. Ond toes gynnyn nhw fawr o le i weiddi yn yr hen gapal bach yna.'

'Nag oes. Mae o'n fychan gynddeiriog oddi mewn. Mi fasa un pesychiad gin John Ifans, Eglwys Bach, yn ddigon o wasanaeth iddyn nhw am fis cyfa.'

Chwarddodd hithau a throes ei phen at y capel. Wrth edrych arno meddyliai nad edrychai ryw lawer o'i le yn y fan honno. Pe buasai gorn arno, edrychasai yn debyg iawn i un o'r tai, ac mae'n debyg na welai'r un o'r teuluoedd mo'i gilydd ond ar y Sul yn y capel. Yn fuan, daeth y bobl allan ohono, rhyw ddyrnaid bychan, ac aent un yma ac un acw i'w cartrefi, i bob cyfeiriad, yr un fath â choesau pry copyn. Dilynai hithau hwynt yn ei meddwl i geginau eu cartrefi. Beth a gaent i dê, tybed? Teisen afalau neu deisen gyrrants, reit siwr, a gallai arogleuo cegin tŷ ffarm ar brynhawn Sul y munud hwnnw, cymysg aroglau buarth ffarm, tŷ llaeth, tatws-yn-pobty, a theisen afalau. A daeth rhywbeth tebyg i hiraeth arni wrth feddwl am ei hen gartref oedd wedi ei chwalu erbyn hyn, fel yr oedd pan ddeuai adref i fwrw'r Sul o Fae Colwyn, lle'r oedd yn y post.

Tynnodd yr awyr i mewn i'w ffroenau. 'Yn tydi hi'n braf yma?' ebe hi wrth ei phriod.

'Mae hi'n nefoedd ar y ddaear yma,' ebr yntau, gan ddilyn aderyn a hedai uwchben y llyn gyda'i lygad.

'Ydach chi'n cofio ni yma'r Sulgwyn hwnnw ers talwm?'

'Ydw'n iawn.'

'Ydach chi'n cofio am be oeddan ni'n siarad?'

'Ydw'n iawn. Mi ddeudis i fod yn well gin i chi na'r byd.'

'Ydach chi'n dal i feddwl yr un fath o hyd?'

'Ydw.'

'Er gwaetha pob dim?'

'Er gwaetha pob diawl.'

Ni byddai Williams yn arfer rhegi, ond yr oedd yn rhoi'r gic olaf i Lloyd oddiar ei feddwl. A mwy na hynny edrychai Annie yn hynod brydferth wrth iddo edrych i'w llygaid yn y fan honno. Yr oedd ganddi wddf a mynwes brydferth iawn. Dim un twll yn unlle, a deuai ambell gyrlen o'i gwallt i lawr o dan ei het ar ei thalcen.

Aethant i gael te dan afael yn nwylo'i gilydd. Gwneid te mewn bwthyn bach ar lan y llyn gan hen wraig oedd yn byw gyda'i brawd.

Wrth fynd at y tŷ gwelent yr hen wraig yn brysur wrthi'n cario tebot a dŵr poeth allan i bobl y moduron. Cymerasant hwythau'u dau fwrdd arall.

'Mi ddoi i atoch chi mewn dau funud wedi gorffan efo rhain,' meddai hi.

Yr oedd gan y 'rhain' ddau dagell yr un, a bu'r hen wraig am hir yn cario dŵr poeth iddynt. Eu bwyd eu hunain oedd ganddynt.

Toc, daeth yr hen ŵr ei brawd yno efo phiseraid o ddŵr, a mynd ag ef i'r tŷ. Edrychai fel pe hoffai daflu'r dŵr am ben rhywun. Dyna'i waith ef yn yr haf. Duw a ŵyr beth a wnai yn y gaeaf.

Wedi mynd â'r dŵr i'r tŷ daeth allan wedyn, ac aeth i eistedd i ryw gae bach y tu cefn iddynt. Methai Annie beidio â throi i edrych arno. Yr oedd yn berffaith sicr mai un dyn fel hyn oedd yn y byd yn grwn. Yr oedd ganddo het Jim Crow am ei ben, goch iawn. Yr oedd ganddo gudyn clust yn perthyn i oes Victoria, a dillad yr oes hon. Edrychai ffurf ei wyneb fel petai wedi ei naddu o farmor. Yr oedd ei lygaid yn fain a heb ryw lawer o fynegiant ynddynt. Methai Annie dynnu ei golwg oddiarno yn eistedd yn y fan honno yn synfyfyrio ar ddim.

'Am beth mae'r hen ŵr yn meddwl, sgwn i?' ebe hi wrth Ted.

' 'Dwn i ddim, os nad am grefydd,' ebe Ted.

'Fedar o ddim meddwl am grefydd bob munud o'i fywyd.'

' 'Does na ddim arall iddo feddwl amdano, os nad ydi o'n meddwl am y dŵr fydd raid iddo gario'r ha nesa.'

Chwarddodd hithau.

'Sgwn i fuo gynno fo rioed gariad?' ebr Annie.

' 'Dwn i ddim. Mae'n anodd gin i goelio. Spiwch ar i lygad o.'

' 'Dydi llygad yn ddim i farnu wrtho fo.'

'Na, fedra'i byth goelio bod gynno fo 'rioed gariad. Mae o'n rhy ffond o'i gwmni'i hun bob amser.'

Ar hyn daeth yr hen wraig â the iddynt. Hen wraig agos atoch oedd hi, a golwg fel mam arni.

'Mae'n ddrwg gin i ych cadw chi,' ebe hi, 'mi 'roedd y bobol yna'n gofyn tendars yn arw. Welis i monoch chi ers talwm iawn.'

'Naddo,' ebe Ted, 'mi rydan ni wedi priodi rwan.'

'Wel, neno!' ebe hithau, 'faswn i byth yn gwybod. Mi rydach chi fel dau gariad o hyd.'

Edrychodd y ddau ar ei gilydd.

Mwynhasant y te yn fawr, yn enwedig y bara brith. Wedi gorffen aethant i eistedd ar ben y clawdd o flaen y tŷ. Daliai'r hen ŵr i synfyfyrio yn y cae o hyd a chaeai ac agorai ei lygaid fel cath yn yr haul.

Toc daeth caenen lwyd ysgafn o niwl dros y mynyddoedd, ac ymhen amser daeth atynt hwythau ac fe'i cyrliodd ei hun amdanynt. Cychwynasant i lawr tua Llanwerful, a cherddasant yn gyflym oblegid dechreuai oeri erbyn hyn. Disgynnai'r lleithder yn ddafnau bychain oddi wrth wallt Annie.

Wrth gyrraedd y tŷ gwelent ddyn yn cerdded yn ôl a blaen o flaen y llidiart fel plisman ar ei ddyletswydd. Adnabu Ted ef ar unwaith. Jones y Drygist ydoedd.

'Lle 'dach chi wedi bod?' oedd ei gyfarchiad cyntaf i'r ddau. 'Rydw i wedi bod yn chwilio amdanoch chi ymhobman ers pedwar o'r gloch.'

'Am dipyn o dro,' ebr Annie.

'Dy!' ebe Jones, 'mi fuo na le yn y Cwarfod Athrawon y pnawn yma. Mi fasa'n werth i chi fod yno. Mi gododd Wmffras fusnes y trip yma i fyny wedyn, ac mi aeth Lloyd yn gacwn gwyllt. Mi alwodd Wmffras yn bob enw. Ond rhyfedda fu erioed, dyma'r Morgans bach hwnnw, sydd yn brentis efo Wmffras, wyddoch chi, y cradur bach swil hwnnw sydd ofn i gysgod, yn codi ar 'i draed ac yn peri i Lloyd ista i lawr. Rywsut neu'i gilydd, wedi dychryn wrth weld rhyw gorffilyn bach felly yn peri iddo fo ista i lawr, mi *ddaru* Lloyd ista i lawr a fedra fo ddeud dim. Roedd pawb yn edrych yn syn, ac mi drawodd yr Arolygwr, "Gras ein Harglwydd".'

Ni chlywodd Annie'r cwbl, oblegid rhedodd i'r tŷ i baratoi swper. Yr oedd yn rhy hapus i ofyn i Jones ddyfod i gael swper gyda hwynt.

Daeth ei gŵr i mewn â golwg wahanol arno rywfodd. Wrth fwyta ni ddywedodd air ond edrychai ar ei blât cig. Edrychai hithau ar yr un peth, ond yr oedd ei meddwl yn bell yn y mynyddoedd. Âi dros bob digwyddiad a thros bob gair a thros bob edrychiad o eiddo Ted y prynhawn hwnnw. Yr oedd yn hapus iawn. Ted oedd Ted wedi'r cwbl.

Ymhen tipyn, ebe Williams, 'Mi roeswn y byd yn grwn am fod yn y Cwarfod Athrawon yna'r pnawn yma.'

Bu agos iddi hi â thagu. Daeth dagrau mawr i gronni yn ei llygaid. Ond ni bu hynny'n hir. Ymhen ennyd chwarddodd yn aflywodraethus dros y tŷ. Cododd ei phriod ei ben ac edrychodd yn syn arni.

1926

# Rhigolau Bywyd

'Hylo-i,' dros y tŷ. Dafydd Gruffydd oedd yn deffro i fynd at ei waith i'r chwarel am chwech o'r gloch fore dydd ei ben-blwydd yn ddeg a thrigain oed.

Wedi iddo ateb, aeth Beti ei wraig i'r gegin a dechreuodd dorri bara ac ymenyn i'w roi yn ei dynn bwyd. Torrodd wyth sleisen ar hyd y dorth, a phwysodd hwynt i'w dynn, a'i modrwy yn suddo i'r frechdan wrth iddi wneuthur hynny. Erbyn iddi orffen rhoi te a siwgr yn yr hen focs mwstard, yr oedd ei phriod yn y gegin bach yn ymolchi, a chlywai ei sŵn yn ffrwtian trochion o'i geg.

Wedi iddo fwyta ei frecwast troes ei gadair at y tân, rhoes ei goes tros ei braich ac estynnodd ei getyn i gael smôc. Wedyn cododd ac edrychodd allan ar y tywydd.

'Ydi hi am fwrw heddiw?' meddai wrth ei wraig.

'Na, tydw i ddim yn meddwl, ond ella y basa'n well ichi fynd â'ch côt.'

Cymerodd hi oddiar gefn drws y gegin bach a daeth i nôl ei dynn bwyd a'i dynn tê a rhoes hwynt ym mhoced gesail ei wasgod liain.

Clywodd Beti ef yn cau'r llidiart a llais ei bartner Twm Min y Ffordd.

'Sut ma'r iechyd heddiw, Dafydd?'

Yna clywai'r ddau yn mynd i fyny heibio talcen y tŷ ac eraill yn eu dilyn gan siarad mewn tôn isel fel y gwna chwarelwyr yn y bore – tôn is o lawer na'r un y siaradent ynddi yn y nos.

Fel yna yn union yr âi Dafydd Gruffydd at ei waith bob dydd. Bu'n cyfarfod â'i bartner wrth y llidiart am y deuddeng mlynedd ar hugain diwethaf, ac ni fethodd yr un o'r ddau erioed gychwyn oddi wrth dŷ Dafydd Gruffydd am hanner awr wedi chwech.

Ond dyma'r tro cyntaf i'r peth daro Beti. Edrychai a gwrandawai ar bob dim heddiw fel petai yn newydd.

Daethai rhyw syniad i'w phen gyda dyfodiad ei gŵr i'r oed hwn y byddai'n rhaid iddo adael y chwarel a byw ar ei bensiwn, ac y deuai'r cwbl a wnaethai fore heddiw a phob bore arall am ddegau o flynyddoedd i ben. Mae'n rhaid bod y llywodraeth yn gall ac yn olau yn eu Beibl i feddwl am roi pensiwn i ddyn yn ddeg a thrigain, pan oedd yn adeg iddo farw.

Wedi synfyfyrio fel hyn aeth i nôl y gwartheg a borai ar gefn y weid. Aeth i fyny i dop y caeau cyn gweiddi 'Trw bach.' Felly y gwnâi yn y bore fel petai arni ofn deffro pobl y tai. Yr oedd llenni ffenestri'r rhan fwyaf i lawr, ac yr oedd rhyw olwg ar y tai fel petai pawb oedd ynddynt wedi marw. Gwaeddodd 'Trw bach' yn ddistaw rhag ofn eu deffro, a chododd y ddwy fuwch eu pennau efo'i gilydd fel petaent yn gwneud dril, a symudasant yn araf i gyfeiriad y beudy; eu pyrsiau'n ysgwyd fel siglen adenydd, o'r naill ochr i'r llall, a'u tethi yn pwyntio tuag allan fel pigau pennor.* Hongiai eu glafoerion yn ffrwyni ar eu gwar a'i ddisgleirdeb yn cyfateb i ddisgleirdeb düwch eu crwyn.

'Closia, morwyn i,' ac yr oedd yr aerwy am eu gyddfau gyda chlec, a'r ddwy fuwch eisoes yn llyfu'r *indian corn* yn eu pwcedi gan ysgwyd handlen y bwced.

Wedyn dechrau godro, y llaeth i ddechrau yn disgyn yn las ac yn fain i'r piser a'i sŵn yn denau. Wedyn dyfod yn ffyrfach a'i sŵn yn dewach. Y fuwch yn codi ei chil ac yn tuchan, yna yn cysgu ac yn neidio yn ei chwsg, a Beti Gruffydd yn dal i odro ac yn dal i feddwl – peth nas gwnaethai ers talwm iawn. Buasai bywyd Beti Gruffydd yn rhy lawn i feddwl llawer. Rhyw gysgu heno er mwyn deffro fory a fuasai gan mwyaf, a llenwi'r amser rhwng deffro a chysgu efo gwaith. Gwaith, yr un gwaith o hyd fel *time-table* mewn ysgol, rhyw un peth a llawer peth bob dydd o'r wythnos. Ac yr oedd Beti Gruffydd wedi byw yn ddigon hir i'r dyddiau gŵyl gymryd eu lle yn y *time table*. Petai yno weithio yn y chwarel ar ddifiau Dyrchafael pan gerddai clyb Dafydd Gruffydd torasai hynny ar unffurfedd

---

* Pennor yn Sir Gaernarfon yw strap o ledr ar hanner cylch a phigau haearn wrtho, a roddir am drwyn llo rhag iddo sugno ei fam.

ei bywyd. Digwyddai mynd â'r plant i lan y môr yn yr haf gyda'r un ffurfioldeb. Pe gofynasech i Feti Gruffydd pa ddydd Sadwrn yn yr haf yr aethai i lan y môr gyda'r plant, ni allasai ddywedyd wrthych yn bendant. Ond buasai'n ddigon sicr ei bod yn mynd â hwy yr un Sadwrn ym mis Gorffennaf trwy'r blynyddoedd. Byddai awyrgylch y Sadwrn hwnnw i'w deimlo cyn ei ddyfod, a phan ddeuai, gwyddai Beti Gruffydd a'r plant mai dyna *y* Sadwrn i fynd i lan y môr.

Wrth gwrs, weithiau deuai pethau megis priodi a marw i dorri ar yr unffurfedd hwn. Dyna'r amser pan fu farw ei phlentyn, Meri, yn bedair oed. Duw'r Nefoedd! yr oedd honno'n brofedigaeth galed. Meddyliai'r pryd hwnnw nad oedd yn bosibl byw wedi ei cholli. Ond fe wiriwyd y dywediad hwnnw, mai tir ango yw tir y bedd, yn ei bywyd hithau. Erbyn heddiw yr oedd yn rhaid iddi ymdrechu cofio i gofio geni'r plentyn hwnnw iddi erioed. Yr oedd ganddi blethen o'i gwallt yn y drôr yn y llofft, a phais wen iddi a gwaith edau a nodwydd ar ei godre. Aethai'r gwallt erbyn hyn fel gwallt babi dol, a'r bais yn felyn gan henaint.

Dyna'r plant yn priodi wedyn, byddai bwlch ar eu holau am dipyn, yn y tŷ ac yn y pwrs, ond deuai i gynefino yn fuan, ac erbyn hyn yr oedd hi a Dafydd wedi byw eu hunain am gymaint o flynyddoedd fel y tybiai nad oedd modd i ddim newid eu bywyd. Un gartrefol iawn a fuasai Beti Gruffydd erioed. Nid oedd lle i lawer heblaw gwaith tŷ a thrin llaeth a menyn yn ei bywyd. Gartref yr oedd ei diddordeb. Pan gymerai ddiddordeb mewn rhywbeth y tuallan i'w thŷ, trwy lyfr neu bapur newydd y deuai hwnnw. Darllenai ambell lyfr fel 'Y Fun o Eithinfynydd' gydag awch, a'i hoff bapur newydd oedd yr 'Eco Coch.' Onid oedd rhamant o gwmpas ei bywyd hi, yr oedd digon ym mywyd pobl eraill fel y'i ceid yn yr 'Eco Coch.' Ond ni cherddai ymhell i'w gael. Âi i'r capel weithiau ac i'r dre ambell dro. Yn ôl ei thystiolaeth hi ei hun ni bu erioed mewn na Sasiwn na 'Steddfod na Syrcas, yn y drefn yna yr enwai hwynt bob amser, a chyfleai'r tri yr un peth iddi yn union. Ni bu erioed yn y chwarel. Nid oedd ganddi'r syniad lleiaf mewn pa fath le y gweithiai ei gŵr. Y cysylltiadau nesaf rhyngddi â'r chwarel oedd tynn bwyd ei phriod, ei ddillad ffustion a'i gyflog yn llwch chwarel i gyd. Heddiw daeth llawer peth fel hyn i'w meddwl.

Aeth â'r piseri allan, a gyrrodd y gwartheg i'r cae. Wedi hidlo'r llaeth aeth ati i gorddi. Ni byddai'n arfer corddi ar fore Sadwrn chwaith. Ond yr oedd y gwartheg ar eu llawn broffid, a byddai'n gorddiad rhy fawr i'w adael hyd ddydd Llun. Caeai ei llygaid wrth droi handlen y corddwr, a deuai ei phen i lawr gyda'i braich bob tro. O! yr oedd hi'n deg, a byddai'r menyn yn siwr o fod yn un scim ar wyneb y llaeth yn lle yn dalpiau pendant fel y byddai yn y gaeaf. Ac felly yr oedd, ac wedi ei hel at ei gilydd yn glynu yn y noe. Yn y gaeaf, gallai Beti Gruffydd ddal y menyn ar du ôl y soser deneu a chynnig hitio rhywun efo fo, ond heddiw yr oedd wedi lledu tros y noe fel crempog. Ond nid gwraig i gymryd ei gwneud gan fenyn meddal ar dywydd poeth oedd Beti Gruffydd. Daliodd ati gan ei dynnu at ei gilydd a'i slapio a gwneud cwysi ynddo gyda'r soser deneu a'r dŵr yn rhedeg *drip-drop* ar hyd y bwrdd i'r piser ar lawr.

Yr oedd pum pwys o fenyn ar y llechen gron, y corddwr yn sychu allan yn yr haul, a'r tŷ wedi ei lanhau erbyn i Ddafydd Gruffydd ddyfod adref ganol dydd. Ar ôl ei ginio o datws newydd a llaeth enwyn, cychwynnodd allan i dorri'r drain yn y caeau. Felly y gwnâi bob prynhawn Sadwrn, a gyda'r nos âi allan i wneuthur rhywbeth o gwmpas y fferm. Ni welid ef byth yn segur. Ar un wedd yr oedd cylch ei fywyd cyn gyfynged ag eiddo ei briod. Cymysgu â'r chwarelwyr yn unig a'i gwnâi yn lletach.

Heddiw gwnaeth Beti yr hyn na wnaethai erioed. Awgrymodd iddo fyned i'w wely ar ôl cinio. Edrychodd yntau arni fel petai hi'n dechrau colli ei synhwyrau.

'Ia wir,' ebe Beti, 'well i chi fynd, dyma chi'n ddeg a thrigain heddiw, a 'does gin i gownt yrioed i chi fod â'ch dwylo tros i gilydd yn segur.'

'Rhaid i mi fynd i dorri'r drain yna tra bydd hi'n dywydd sych,' ebr yntau.

'Tywydd sych neu beidio, tasa chi'n marw mi fasa'n rhaid i chi adal iddyn nhw.'

Fe wyddai Beti nad oedd wiw iddi ymliw ag ef. Ond cawsai roi mynegiant i rywbeth a fuasai'n troi a throsi yn ei meddwl trwy'r bore.

Toc, wedi golchi'r llestri cinio, aeth allan i nôl dŵr o'r ffynnon yn y cae uchaf. Yr oedd yn ddiwrnod braf, ac wrth ddyfod yn ôl, eisteddodd ar y cae lle y gweithiai Dafydd Gruffydd. Yr oedd yr adlodd yn lân a gwyrdd, ac yr oedd sŵn y gwartheg yn ei bori yn hyfryd i'w chlust. Nid felly sŵn cryman ei phriod. Sbonciai'r brigau drain fel *Jac-yn-y-bocs*, a disgynnent a'u breichiau ar led i farw yn y ffos.

Edrychodd Beti yn hir ar ei gŵr. Ni fyfyriodd gymaint arno er cyn iddi briodi. Yr adeg honno yr oedd Dafydd Gruffydd yn un o fil, ond yr oedd byw efo fo wedi ei wneud yn debyg iawn i'r gweddill o'r mil erbyn heddiw. Yr oedd gan Feti ormod o synnwyr cyffredin i'w thwyllo ei hun fod rhamant caru yn para yn hir iawn ar ôl priodi. Edrychai arno yn awr yn ei ddillad gwaith – hen het hen am ei ben. Ni wyddech beth oedd hi gan lwch chwarel. Ond gallai Beti weled clwt o ôl chwys ar y ruban ar du blaen ei het. Hongiai darn o lawes ei gôt liain yn un fflarbad, a siglai yn ôl a blaen fel y torrai'r drain. Atgoffaodd hyn hi y byddai'n rhaid iddi drwsio ei ddillad glân cyn mynd i'w gwely. Daeth ton o dosturi dros ei gŵr drosti. Bu'n ddyn golygus iawn unwaith. Het dipyn duach na hon a fyddai ganddo adeg ffair Glamai ers talwm, ac yr oedd y plygiad yn ei drywsus llwyd a du yn dipyn unionach yr adeg honno na'r rhesi yn ei drywsus melfared heddiw. Er y byddai'n gweithio lawer prynhawn Sadwrn gyda'i dad, yr oedd y ffrâm a ddaliai'r dillad yn dipyn sythach y pryd hynny. Edrychai yn hŷn o lawer heddiw, yn hŷn nag yr edrychai ddoe hyd yn oed i Feti Gruffydd. Cynefinasai ormod ag ef i feddwl hyn o'r blaen. Wrth edrych yn ôl dros y blynyddoedd ni allai weled dim ond gwaith yn ei hanes yntau, gwaith heb lawer o orffwys. Beth pe gwelid y gwaith hwnnw yn un pentwr efo'i gilydd heddiw? Cyraeddasai i'r nefoedd yn ddiau, yn bentwr mawr undonog. A Dafydd Gruffydd y dyn a dorrai'r drain yn y fan yma heddiw, oedd ei awdur i gyd. Syllodd arno eto yn chwifio'r cryman fel y gwynt a rhyw gwyno yn dyfod o'i frest fel carreg ateb gyda phob trawiad.

A meddyliodd rhyngddi â hi ei hun, 'Mi fydd yn gorfadd yn yr hen fynwant acw ymhen tipyn, a'i ddwylo dros i gilydd am byth.'

1929

# Rhwng Dau Damaid o Gyfleth

'Gymwch chi damad o gyflath, taid?' ebr ei wyres ugain oed wrth Dafydd Tomos, a eisteddai wrth y tân.

Trodd yntau ei ben a dyna lle'r oedd ei ferch Jane a'i wyres Mair ar ganol y llawr yn tynnu cyfleth. Daliai'r fam un pen iddo a'i merch y pen arall. Tynnent a thynnent gan roddi un pen yn ôl i'r llall o hyd a'r cyfleth yn troi ei liw o wineu i aur. Wedyn troent ef fel pe baent yn cyrlio gwallt plentyn a rhoent ef ar lechen wedi ei hiro ag ymenyn.

'Cyma i,' ebe'r hen ŵr, a daeth Mair a rhoi joi o'r cyfleth yn ei enau. Cydiodd y weithred ei gof wrth olygfa debyg a welodd drigain mlynedd ynghynt. Edrychodd ar ei wyres a'i llewys cwta a'i gwallt du fel cragen gocos uwch ben ei chlust ac aeth ei feddwl yn ôl at Geini, yr eneth oedd yn gweini gydag ef yn Nôl yr Hedydd. Wrth dynnu cyfleth fel hyn y syrthiodd mewn cariad â hi. Safai hi a'i meistres ar ganol y llawr fel y gwnai ei ferch a'i wyres yn awr, yn tynnu cyfleth. Llewys byr, wedi eu crychu i fand uwchben ei phenelin oedd ganddi, llewys digon uchel i ddangos bôn braich gron a thwll yng nghnawd ei phenelin. Deuai ei gwallt du i lawr dros ei chlust ar ei ffordd i'r tu ôl i'w phen. Wrth iddi chwerthin dangosai res o ddannedd gwynion a thwll yn ei boch.

Syrthiodd mor ddwfn mewn cariad â hi onid aeth i fethu cysgu'r nos a cheisiai fod o gwmpas y tŷ yn aml yn ystod y dydd i gael cip ar ei llygaid duon. Sylwodd ei bod hithau wedi deall stâd ei feddwl; oblegid pasiai ef yn swil ar y buarth, ei golwg at y llawr, a'i hamrannau yn ysgubo pen ei boch. Mynegodd ei gariad tuag ati un noson wrth swpera'r gwartheg pan oedd un o'r gweision yn sâl a hithau'n cymryd ei le. Cof ganddo yn awr am y beudy hwnnw yn Nôl yr Hedydd fel yr edrychai'r noson honno. Yr oedd ei awyr yn gynnes oddi wrth anadl y gwartheg, ei barwydydd yn fudr gan lwch a gwe pry copyn a gluod. Symudai ei gysgod ef a Geini'n fawr ar y pared wrth iddynt symud yn ôl a blaen rhwng y cwt gwair a rhesel y fuwch. Rhes o lygaid mawr yn troi arnynt dros ymyl y rhesel a gyddfau'n symud yn ôl ac ymlaen. Yna'r pennau'n diflannu a thafodau yn cyrlio am y gwair o dan y rhesel a sŵn y gwair fel papur sidan. Gallai Dafydd weled amrannau Geini yn troi i fyny heibio'i bonet fel y plygai gyda'r gwair. Ni allodd ddal yn hwy. Yr oedd ei wefusau'r munud nesaf yn mynegi angerdd ei galon ar ei gwefusau poethion hi. Yr oedd un gyfrinach fawr rhyngddynt yn mynd i'r tŷ'r noswaith honno.

Bu'r misoedd dilynol yn fisoedd dedwydd i'r ddau. Nid oedd ar Ddafydd eisiau bod yn agos i'r tŷ yn ystod y dydd yn awr. Gwyddai fod Geini'n ei garu ac yr oedd hynny'n ddigon iddo. Bodlonai ar ei fyfyrdodau amdani wrth fynd â'r ceffyl i'r efail neu wrth deilo. Meddyliai amdani fel y gwelodd hi'r noson honno yn tynnu'r cyfleth, a meddyliai amdani fel y gwelai'r breichiau hynny yn gyrru bara ceirch yn eu tŷ eu hunain ryw ddiwrnod.

Treulient lawer o amser gyda'i gilydd a pho fwyaf a welent ar ei gilydd mwyaf yn y byd y credai'r ddau fod un wedi ei greu ar gyfer y llall. Buont yn edrych gyda'i gilydd ar adar y drudwy yn heidio i'r cae ar ôl chwalu tail a chlywsant aroglau coelcerthi grug ar y mynyddoedd wrth hel cerrig yn y Gwanwyn. Wrth yr un gwaith clywsant y gog yn canu gyntaf gyda'i gilydd.

'Os oes rhwbath mewn coel gwrach,' ebe Dafydd, 'efo'n gilydd y byddwn ni byth.'

'Ac os oes rhwbath mewn coel gwrach,' ebe hithau yn chwareus, 'hel cerrig y byddwn ni efo'n gilydd am byth.'

Chwarddodd Dafydd dros bob man.

A'r amser hwnnw y gofynnodd iddi, drwy fod Ffair Glamai yn nesu, pa bryd y caent briodi. Drwy fod y ddau yn eu cwman yn casglu'r cerrig, ni welodd ef y prudd-der a ddaeth dros ei hwyneb pan soniodd am hynny.

'I be gnawn ni briodi mor fuan?' ebe hi, 'gad inni fod yn ddau gariad fel hyn am flwyddyn beth bynnag, inni gael sbio efo'n gilydd ar y gwair a'r yd yn tyfu, a mynd i gnafa rhedyn a mawn efo'n gilydd. Mi rydw i yn licio cael bod wrth d'ymyl di fel hyn.'

'O'r gora, ond dim ond tan Glan Gaea, cofia.'

* * * *

Daeth yr haf ac aeth heibio. Melynnodd eu hwynebau a'u breichiau. Teimlai Dafydd ei hun erbyn hyn mai Calan Gaeaf oedd yr amser i briodi. Oblegid fel y dywedai, 'Mi fyddaf wedi i gweld hi ar bob adeg ac ymhob hwyl erbyn hynny.' A chynhesai ei galon fwy-fwy tuag ati wrth ei gweled yr un o hyd, bump o'r gloch y bore, adeg godro'r haf, fel wyth y nos. Siaradent eu cyfrinachau o dan byrsiau'r gwartheg yn y bore ac wrth rwymo ysgubau yd wrth leuad Ha Bach Mihangel.

Un nos Sul, wrth ddyfod adref o'r eglwys, mentrodd Dafydd ofyn eto iddi enwi diwrnod eu priodas, ond cyn iddo orffen bron yr oedd ei hateb dros ei gwefusau.

'O! does arna i ddim eisio priodi.'

Troes Dafydd ei hwyneb ato ac at oleu'r lleuad. Edrychodd i mewn i'r llygaid diwaelod hynny, a sylwodd am y tro cyntaf erioed mor brudd oeddynt.

'Pam, Geini? Dyma'r ail dro iti wrthod.'

'O!' meddai hi ac yr oedd poen yn ei llais, 'mae arna i ofn.'

'Ofn be? Fy ofn i?'

'Naci, ofn priodi.'

'Ofn na fedrwn i ddim byw ar fy nghyflog i?'

'Naci, fasa arna i byth ofn hynny, tra bydda neng ewin gin i.'

'Ofn y cyfrifoldab?' Er na wyddai yn iawn beth oedd hynny, ond gwelsai ef mewn llyfr.

'Twn i ddim. Naci–ofn–ofn inni ddwad i nabod y'n gilydd yn well nag yr ydan ni.'

'Tydw i ddim yn dy ddallt ti, Geini bach.'

'Wel, fel hyn,' meddai hithau, a llai o boen yn ei llais, 'fel rydan ni rwan rydan ni'n nabod y'n gilydd yn ddigon da i garu'n gilydd, ond mae arna i ofn os priodwn ni, y down ni i nabod y'n gilydd yn ddigon da i gasáu y'n gilydd.'

'Tydi hyna fawr o gompliment i'r un o'n ni'n dau. Os ydan ni'n werth yn nabod mi gymith inni dipyn o amser i nabod y'n gilydd.'

'Na,' meddai hi, 'unwaith y priodwn ni, mi awn yr un fath â phawb arall. Mi eith y plant â mryd i, a mi eith sut i gael bwyd iddyn nhw â dy fryd ditha.'

Chwarddodd Dafydd wrth glywed ugain yn siarad fel pedwar ugain.

'Felly, wnei di ddim gaddo?' meddai.

'Na wnaf,' meddai hithau a'r un boen yn ei llais.

Ni thybiodd yn ddoeth ymliw rhagor â hi. Daeth Calan Gaeaf ac fe aeth heibio. Teimlai Dafydd na fedrai pethau ddal i fynd ymlaen fel hyn. Deuai diwedd arnynt rywdro. Yr oedd arno eisiau Geini, ei heisiau i'w dderbyn gartref gyda'r nos a'i heisiau yn eiddo priod iddo'i hun.

Ym mhen tipyn ar ôl Calan Gaeaf mentrodd ofyn y cwestiwn drachefn. Nos Lun ydoedd, a hithau wedi codi ers pedwar o'r gloch y bore i olchi, ac wrthi tua phump y nos yn slisio rwdins yn y beudy, wrth olau cannwyll. Yr oedd llinellau duon dan ei llygaid a chraciau yn ei dwylo coch.

'Rwan Geini,' meddai, ac efallai bod tipyn o awdurdod yn ei lais, 'rhaid inni briodi. Thâl hi ddim fel hyn. Fydd raid iti ddim codi bedwar ar gloch y bora ar ôl priodi.'

'Os na fydd codi'n fora i olchi, mi fydd rwbath arall' ebe Geini.

'Rwan, rwan, paid â bod mor snaplyd, Geini bach.Ond mi rwyt ti wedi blino,' ebe fo yn feddalach. 'Ond fedrwn ni ddim mynd ymlaen fel hyn o hyd.'

'Pam?'

'Wel, mae arna i dy eisio di i gyd i mi fy hun.' A gofynnodd yn sydyn, 'Wyt ti'n licio rhywun arall yn well, Geini?'

'Mi wyddost o'r gora nad ydw i ddim,' meddai hi. A chyda llewych buddugoliaeth yn ei llygaid, 'Dyna fo, mi ddeudis i nad oeddan ni ddim yn nabod y'n gilydd yn ddigon da. Rwyt ti'n hunanol, ac rwyt ti'n amheus. Wyddwn i mo hynny o'r blaen.'

'Taswn i ddim yn hunanol nac yn amheus mewn cariad, thalsa hynny ddim.'

'Na,' meddai hi,' 'rydan ni'n nabod y'n gilydd yn well heno nag erioed, a felna basa hi, tasan ni'n priodi. Mi welsan rwbath o hyd, ac yn y diwadd mi fasa'n gas gynnon ni weld y'n gilydd.'

'Wel,' meddai yntau, 'rhaid imi ymadael. Fedra i byth aros yma fel hyn.'

Nid bygwth mohono, ond mynegiant gonest.

Meddalhaodd hithau. Cyn mynd o'r beudy'r hwyr hwnnw addawsai Geini ei briodi. Trefnwyd eu bod i fynd i brynu'r fodrwy Sadwrn Ffair Gaeaf, a'u bod i briodi fore Nadolig. Cawsant dŷ bychan heb fod ymhell o Ddôl yr Hedydd a chwt mochyn yng nghongl ei ardd – a dechreuodd y ddau hel pethau iddo.

Ond nid edrychai Geini cyn hapused â chynt. Ymdrechai wenu pan fyddai gyda Dafydd ond daliai ei chariad hi'n aml yn edrych yn syn ac yn brudd.

Cyfrifai ef yr oriau hyd Sadwrn Ffair Gaeaf a rhedent yn araf iawn. Iddi hi rhedent yn llawer rhy gyflym.

Cychwynasant gyda'i gilydd tua phump o'r gloch, ef yn ei drowsus cord a'i fliwtsiars. Côt beilot cloth amdano, hances sidan amryliw am ei wddf a het befar am ei ben. Y hi'n gwisgo ffrog o stwff du cartre a rhesen wineu ynddo, esgidiau pedwar twll am ei thraed, côt o frethyn cartre gwineu amdani, a honno yn llac a blaenau ei llewys yn agor yn llydain, a het bach gron wineu ar ei chorun. Yr oedd yn noson olau leuad sych a'r ffyrdd fel palmant. Edrychai'r barrug fel caenen o eira ar y caeau a safai'r coed fel llawer gwialen fedw wedi gwisgo wrth guro cenedlaethau o blant. Brasgamai ef a throtiai hithau ryw gamau bychain wrth ei ochr, heb ddim ond blaen ei hesgid i'w weld o dan ei sgert laes.

Drwy ei bod mor ddistaw dywedai Dafydd hanesion wrthi. Hanes Siôn Dafydd y Goetre yn mynd gyda'i gariad i'r dre i brynu modrwy briodas. Y ddau yn ffraeo wrth fyned adref ac yntau'n taflu'r fodrwy dros y gwrych i'r cae ac yn methu dyfod o hyd iddi.

'Ddaru nhw briodi wedyn?' ebe Geini yn awyddus.

'O! do.'

Ocheneidiodd Geini yn ddistaw.

Cyraeddasant y dre – gul ei hystrydoedd, isel ei thai a'i siopau. Sathrai'r bobl draed ei gilydd ac yr oedd llawer iawn yn feddw eisoes. Ar y maes yr oedd y stondins India Rock a fferis, bara ceirch Cartre a theisennau. Canai'r Bardd Crwst 'Y Blotyn Du.' Adwaenai Dafydd Geini yn ddigon da i wybod nad oedd pethau fel hyn at ei chwaeth. A phan glywodd ddau fachgen yn gofyn i ddwy eneth wrth ymyl y Sein Delyn 'Ddowch chi am gropar, 'genod?' dywedodd yntau,

'Mi awn ni am y fodrwy, Geini.'

Yr oedd yn ben llanw ar ei lawenydd. Edrychasant am dipyn tu allan i ffenestr y gwneuthurwr watsus. Pŵl iawn yr edrychai'r modrwyau yng ngoleuni'r canwyllau ond yr oedd disgleirdeb coron y brenin ynddynt i Ddafydd.

Aethant i mewn o lech i lwyn. Yr oedd y gwneuthurwr watsus yn feddylgar a chyn iddo ddweud ei neges bron yr oedd nifer o fodrwyau o flaen Dafydd. Ond ni sylwodd fod wyneb Geini yn wyn nes iddo droi yn sydyn wrth ei gweled yn rhedeg am y drws. Rhedodd ar ei hôl cyn belled ag y gallai redeg trwy'r dyrfa. Daliodd hi yn y cei, a phan ddaliodd hi, yr oedd fel deryn bach wedi ei ddal. Crynai ei holl gorff a gallai glywed ei chalon yn curo.

'Fedra i byth fentro, Dafydd,' ebe hi. 'Rydw i'n gweld diwadd ar y nedwyddwch i, pan ro' i'r fodrwy yna ar fy mys. Rhaid iti fadda imi.'

A deallodd beth o'i meddwl wrth edrych ar ei hwyneb.

'O'r gora, Geini bach,' ebr yntau, 'flina i monat ti byth eto.'

Aeth yn ei flaen ei hunan i'r Cei Llechi. Yno gorweddodd ar ei frest ar bentwr o lechi a griddfanodd i'r agennau rhyngddynt. Ni wyddai sut yr aeth adref, ond fe'i cafodd ei hun rywdro rhwng unarddeg a hanner nos yn edrych allan yn synfyfyriol drwy ffenestr y llofft stabl. Yr oedd y lleuad tu cefn i'r tŷ a thu ôl i gwmwl mae'n debyg. Yr oedd cysgod mawr, tywyll ar y cae o'i flaen a thu hwnt i'r cae hwnnw ymestynnai'r caeau eraill yn felyn yng ngolau'r lleuad. Gallasech dyngu mai caeau ŷd ym mis Medi oeddynt. Aeth Dafydd i'w wely a'r cae ŷd o flaen ei lygaid.

Cododd yn fore drannoeth, a phaciodd ei ddillad yn ei gist bren. Aeth i'r gegin i gael cyfle i siarad gyda'i feistres, ac i egluro iddi paham yr ymadawai. Cymerodd hi'r peth ati'n fawr ac wylai wrth glywed hanes Dafydd. Trefnodd i anfon ei gist yn y drol i dŷ ei chwaer yn ddiweddarach. Wedyn cychwynnodd ac ychydig bethau mewn hances goch ar ei ysgwydd. Cyn mynd, aeth at y beudy ac agorodd y drws. Caeodd y drws wedyn a syrthiodd un deigryn ar ei foch. Wedyn aeth yn ei flaen heb edrych yn ôl. Yr oedd yn rhaid iddo basio'r bwthyn a gymerasant i fyw. Edrychodd trwy ffenestr y siamber. Gwelai'r gwely wenscot a'i gyrten gwyn a blodyn coch ynddo, wedi i Geini ei wnïo. Yr oedd y gwely peiswyn yno ar y ffrâm, peiswyn glân ar ôl dyrnu yn Nôl yr Hedydd, a dicin wedi i Geini ei wnïo amdano. Ymhen tipyn pasiodd yr Eglwys. Cofiodd mai heddiw'r oedd gostegion eu priodas i'w cyhoeddi. Tybed a âi Geini i'r Eglwys i'w rhwystro?

Yn ei hystafell wely edrychai Geini arno'n mynd, ef a'i bac, onid aeth yn ddim ond smotyn du ar y gorwel. Pan aeth o'r golwg, syrthiodd ar ei gliniau wrth y gadair ac wylodd. Crogai ei hamrannau'n wlyb a llipa ar ei boch a'r dagrau'n disgyn oddi arnynt fel oddi ar gangau'r coed ym mis Rhagfyr.

Ymhen blynyddoedd wedyn, cyfarfu Dafydd â Jane. Yr oedd yn was mewn ffarm arall erbyn hyn. Tebygrwydd Jane i Geini a'i denodd i gychwyn. Ond canfu ei bod yn annhebyg iawn ymhen tipyn. Nid oedd mor barod ei hateb nac mor gynnes ei chalon. Hoffai hi'n burion. Ond rywsut fel y deuai'r amser iddo ofyn am ei llaw, deuai rhyw hiraeth angerddol am Geini arno. A phenderfynodd cyn gofyn, fynd i chwilio am Geini unwaith eto. Aeth i Ddôl yr Hedydd, a chlywodd yn y fan honno ei bod yn gweini yn un o'r 'trefi mawrion yna.' Ni wyddai neb ym mha le, ac yr oedd ei thad a'i mam wedi marw erbyn hyn. Aeth at gyfeillion iddi, ond ni chlywsent hwythau oddi wrthi ers blynyddoedd.

Priododd â Jane y Calan Gaeaf hwnnw. Sadwrn Ffair Gaeaf wedyn yr oedd yn y dre, a phwy a welodd yn croesi'r stryd ond Geini. Edrychai tua'r ddaear ac ni welodd ef.

Safodd yn stond a gwyliodd ei cherddediad. Gwelodd hi'n mynd yn syth at ffenestr y gwneuthurwr watsus. Syllodd i'r ffenestr am dipyn ac yna aeth yn ei blaen. Bu agos i Ddafydd â rhedeg ar ei hôl. Ond i beth? Teimlai y byddai'n well iddo beidio. Ni allai ei phriodi yn awr, ac yr oedd arno ofn y byddai un olwg ar ei llygaid yn ddigon iddo ddinistrio ei fywyd priodasol.

Aeth i dŷ tafarn ac yfodd ddigon i farweiddio tipyn ar y teimladau oedd yn ei galon. Yn ei ddiod, dywedodd beth o'i gyfrinach wrth un o'i gyd-yfwyr.

'Wel ia,' ebe hwnnw, 'fel yna mae hi w'ldi. Mae ar bawb hiraeth am rwbath na fedar o mo'i gael o yn y byd yma.'

Dyna'r tro olaf iddo weled Geini, ac ni chlywodd air byth amdani.

Pethau fel yna a âi drwy feddwl Dafydd Tomos wrth iddo gnoi'r cyfleth. Erbyn heddiw ni pharai mynd dros y stori ddim cyffro yn ei feddwl. Ni theimlai mewn unrhyw ffordd wrth feddwl am Geini. Cofiai'r stori i gyd a dyna'r cwbl. Yr oedd wedi anghofio cannoedd o bethau a ddigwyddasai ar ôl hynny. Ond safai'r stori yma ar ei gof fel ysgrifen ddu ar bapur gwyn, a'r digwyddiadau a angofiasai fel papur gwyn heb ddim ysgrifen.

'Gymwch chi damad eto, taid?' ebe Mair.

'Cyma i,' ebe'r hen ŵr, ac wrth i'w ŵyres ei roi yn ei enau, disgynnai rhaffau bychain, meinion, aur, oddi wrth y cyfleth ar ei farf.

1925

## Dwy Gwningen Fechan

Yr oedd y Nadolig hwn wedi bod yn waeth nag arfer i Dan. A bod yn onest, amser o boen oedd y Nadolig iddo ers tua phedair blynedd, er pan oedd ei fam wedi penderfynu bod deunydd adroddwr ynddo, a bod yn rhaid iddo gystadlu ar adrodd yn eisteddfod y capel er pan oedd yn bedair oed. Cyn hynny, gallai edrych ymlaen at ymweliad ei nain, a ddeuai i aros atynt dros bob Nadolig ac a lonnai'r tŷ gyda'i phersonoliaeth a'i hanrhegion ac at anrhegion pobl eraill a'r gwleddoedd o fwyd. Yn awr, pan ddisgynnai mwrllwch Tachwedd dros y wlad disgynnai hefyd fwgwd o boen dros ben Dan, wyth oed, pan ddywedai ei fam wrtho fod yn hen bryd iddo ddechrau dysgu ei adroddiad at yr eisteddfod a mynd at Mr. Jones, yr athro ysgol, i gael ei ddysgu ganddo. Un dyn oedd Mr. Jones yn yr ysgol, a Dan yn un o ddeg ar hugain o blant, ond dyn arall ydoedd ym mharlwr ei dŷ yn rhoi gwers i Dan ar ei ben ei hun ac nid i dyrfa.

Yr oedd yn bosibl swatio o'r golwg mewn dosbarth pan wnâi gamgymeriad, a *meddwl* beth bynnag ei fod yn twyllo ei athro. Ond pan oedd wyneb yn wyneb â'r athro hwnnw ar ei ben ei hun nid oedd yn bosibl ei osgoi. Yr oedd pwyntiau ei hyfforddiant yn mynd fel mynawyd i bren, ac nid oedd waeth cyfaddef ddim, nid oedd ei athrawiaethu mewn adrodd yn cael dim effaith ar Dan. Yr oedd Dan yn un o'r bobl hynny a gâi bob ynganiad yn hollol naturiol wrth siarad, pob tôn yn y llais yn rhedeg i'w lle priodol heb geisio, fel wats i boced wasgod: ond pan ddechreuai adrodd, yr oedd y geiriau yn sboncio o gwmpas a phwyslais yn newid lle fel taflu peli pwl-awê a'r rheini'n mynd i bob man ond i'r lle iawn. Neu'r rhan amlaf byddai ei adrodd yn aros yn llinyn syth, tynn, heb ddim yn newid yn ei oslef, dim teimlad o fath yn y byd yn ei lais, ac yntau'n mynd ymlaen fel llong trwy fôr tawel undonog.

Eleni, yr adroddiad oedd 'Cwningod' gan I. D. Hooson, ac adroddai Dan ef yr un fath yn union â phetai'n adrodd 'Clep, clep, wyau Pasg.' Yr oedd undonedd y rhigwm yn help i chwi gardota wyau, ond ni ddangosai'r undonedd ddim am drasiedi'r ddwy gwningen. Buasai Mr. Jones wrthi yn ceisio gwthio i'w ben fod yna *ddwy* gwningen yn y dechrau a dim ond *un* yn y diwedd, ac yr oedd eisiau dangos y gwahaniaeth wrth siarad yn dawel ar y diwedd gan nad oedd dim ond un ar ôl; yn y canol yr oedd eisiau adrodd yn gyflym ac yn gynhyrfus i ddangos dychryn y cwningod, y rhedeg a'r ffoi.

Trwy ryw amryfusedd, un ai rhag brifo teimladau Dan, neu drwy feddwl y gallai Dan weld drosto'i hun, ni ddywedasai Mr. Jones pam nad oedd dim ond un gwningen ar ôl. Yr oedd y bachgen mor ddihidio o beth a ddigwyddasai fel na feddyliodd fawr am y peth; fe wyddai yn nhu ôl ei feddwl mae'n debyg, fod un gwningen wedi ei lladd neu wedi ei brifo efallai, ond adroddai'r darn heb gyffro, yn fflat, yn ddideimlad, er mwyn cael mynd adre at ei gi. Yn lobi tŷ'r athro llithrai ymaith y swildod a wisgasai wrth fynd i mewn fel mantell ddi-fotwm i'w hongian ar yr hoel hyd y tro nesaf.

A dyma'r Nadolig wedi cyrraedd gyda'i bryder dwbl y tro hwn. Yr oedd Lob, y ci, yn sâl ers tridiau. Ni chymerai fwyd, ni chymerai sylw o neb, dim ond gorwedd yn llonydd yn sbruddach yn ei fasged, ac os ceisiai Dan gael ei sylw drwy roi prat iddo ysgyrnygai arno, peth nas gwnaethai erioed. Ei ffrind pennaf yn dangos ei ddannedd. Y tro cyntaf er pan gawsai ef gan Mari Huws, y Rhyd.

Yn wir, nid ei gael a wnaeth ond ei gymryd. Yr oedd gast Mari Huws wedi cael cŵn bach ac yr oedd hi wedi cael cwsmeriaid iddynt i gyd ond i un; daeth ag ef i gartref Dan a dweud y caent ef am ddim ond ei gymryd, neu buasai'n rhaid iddi roi pen ar ei fywyd.

'Y fo ydi'r lleia,' meddai, 'a'r hoffusa, rhyw lob o gi bach digon gwirion a deud y gwir.'

Gwirionodd Dan arno cyn gynted ag y gwelodd ef; gwnaeth ystumiau ar ei fam am iddi ei gymryd. Honno'n gyndyn a bywyd y ci bach yn y fantol.

'Rydw i wedi treio pawb,' meddai Mari Huws â rhyw nodyn anobeithiol yn ei llais. ' 'Dwn i ddim beth i neud. Piti lladd y peth bach.'

Nid oedd ei fam yn gwneud unrhyw osgo i neidio at yr abwyd, a bu'n rhaid i Dan siarad gan na thyciai ystumiau. Disgwyliai i'w fam ddweud 'y peth bach' neu rywbeth.

'O mam, cymrwch o, mi edrycha' i ar ei ôl o.'

'Gwnei am dipyn bach, reit siŵr, a'i anghofio wedyn.'

'Na wna, wir-yr, mi helia'i fwyd iddo fo ac mi â'i â fo am dro.'

Cymerodd y ci ar ei fraich, swp bach o flew du a gwyn esmwyth, a dyma yntau yn llyfu boch Dan gan edrych gyda dau lygad ffeind.

'Gadewch iddo fo'i gael o, Lisi,' meddai Mari Huws.

'O ia, mam, sbiwch ar y peth bach del,' a'r ci yn rhoi llyfiad arall iddo ac edrych ar ei wyneb fel dyn ifanc yn edrych ar ei gariad.

'Wel, fuo yma 'rioed gi,' meddai ei fam, nid yn benderfynol fel rheswm dros beidio â chymryd yr un byth, ond mewn tôn a awgrymai fod anwybodaeth am gadw cŵn yn esgus dros beidio â dechrau, ond eto hefyd yn awgrymu y gellid dysgu sut i gadw ci fel dysgu sut i odro buwch. Gwelodd Dan ei ffatsh.

'Ylwch, mam, mi fydd y ci bach yma yn gwmpeini i chi pan fydd nhad a finna' yn y cwarfod plant, ac mi eith i nôl a danfon y gwartheg i chi i'r cae.'

'Does dim eisio ci i hel dwy fuwch i'r beudy, mi fedran ddŵad i hunan. Mi ddeudi mewn munud yr eith o i nôl negesi i'r siop.'

Nid yn goeglyd, ond mewn llais a ddywedai ei bod ar fin cael ei llorio.

'Mi wirionwch efo fo,' meddai Mari Huws.

A gorchfygodd y fam. Er hynny, nid anghofiodd Dan yr edrychiad hiraethus ar wyneb y ci pan droes Mari Huws ei chefn, na'r ochenaid bach a fygodd wrth iddo droi at y tân ar fraich Dan. Ond mae ci yn anghofio yn gynt na dyn a buan yr ymgartrefodd y ci bach; nid anghofiodd Dan ei addewid ychwaith. Cofiodd ddywediad ei gyn-berchennog am ryw lob o gi bach hoffus, a phenderfynodd ei alw yn Lob.

Edrychai arno fel rhyw blentyn amddifad a gymerasai i'w fagu, tamaid o anifail a achubasai o safn angau. Daeth yn rhywbeth mwy na thegan iddo i chwarae efo fo pan fyddai'n rhydd o'r ysgol; daeth yn ffrind iddo. Iddo ef yr ysgydwai ei gynffon pan ddychwelai adref o rywle; wrtho ef y disgwyliai i gael mynd am dro; wrth ei draed ef y gorweddai gyda'r nos o flaen y tân.

A dyma fo heddiw yn sâl, a'i feistr ar ddydd Nadolig yn disgwyl yn ei sêt am gystadleuaeth adrodd. Sut oedd disgwyl i unrhyw un adrodd yn dda a'i ffrind gorau yn sâl? Yr oedd ei ymarferiad olaf gyda'i athro y noson gynt yn drychinebus; dywedasai Mr. Jones fod ei fynegiant mor ddi-liw â set deledu wag cyn i'r llun ddyfod ymlaen. Aethai trwy ei adroddiad fel trên yn mynd drwy dwnnel; yn salach na'r wythnos gynt, meddid wrtho yn blaen. Ond yr wythnos gynt nid oedd Lob yn sâl.

Eisteddai ei athro yn awr yn y capel yn un o'r seti croesion yn wên o glust i glust yn ddi-stop wrth weld y plant lleiaf yn mynd trwy eu hadrodd a'u canu ar y llwyfan. A dweud y gwir, i Dan edrychai'n reit wirion wrth beidio â thynnu'r wên oddi ar ei wyneb.

Byddai twrn Dan yn reit fuan, a châi dipyn o hwyl ac o ofn wrth feddwl sut y stopiai Mr. Jones wenu ac wrth feddwl am y tyndra ar wyneb ei fam. Âi tros y darn o hyd yn ei feddwl rhag ofn iddo anghofio; byddai hynny'n waeth nag adrodd yn ddibwyslais. Fe edliwiai ei fam yr anghofio iddo am ddyddiau; os adroddai'n undonog ar y beirniad y byddai'r bai am weld gwerth yr adroddwyr eraill, neu ar Mr. Jones, yr athro, am beidio â'i ddysgu'n iawn.

Wrth fynd dros yr adroddiad fel hyn a hwnnw'n neidio ar y gynfas ddu o boen ynghylch Lob, gwnaeth ei dristwch iddo ddechrau meddwl am yr adroddiad ei hun, am y ddwy gwningen bach hapus efo'i gilydd yn ymyl y llwyn ar ddiwrnod braf yn yr haf, tebyg i un o'r dyddiau hynny pan âi ef a Lob am dro i'r mynydd. Lob yn synhwyro'r ddaear, yn codi'i goes, yn crafu'r pridd ac yn rhoi gwib o redeg at y gamfa; disgwyl wrtho yn y fan honno i weld i ba gyfeiriad yr âi ei feistr, ac wedi ffeindio, yn neidio â'i goesau ôl ar led, dros y gamfa i'r ochr arall; rholio ar ei gefn wedyn ac edrych o'i gwmpas fel peth wedi'i syfrdanu gan yr olygfa newydd. Neu fel yr âi i lawr at yr afon. Lob yn rhedeg at fin y dŵr ond nid gam ymhellach, yfed tipyn a rhedeg yn ôl yn ofnus wrth i'r dŵr lepian wrth ei draed, mynd at Dan ar y dorlan, eistedd wrth ei draed â'i glustiau i fyny i ddal ar unrhyw sŵn a godai o rywle.

Cofiai hefyd am y gyda'r nosau tawel ym mis Medi pan âi ef a Lob i gyfarfod â'i dad ar ei ffordd adre o'r chwarel, pan ddechreuai deimlo rhyndod gaeaf yn yr awyr, a'i dad yn rhoi ei biser bach i Lob ei gario, a Lob yn ei ollwng i fynd ar drywydd aroglau ger y llwybr; ei dad yn hapus flinedig a'r tri ohonynt yn teimlo rhyw ddiddanwch yn codi o'r ddaear ac o ymlwybro tuag adref. Gwelodd mai dyna oedd hapusrwydd y ddwy gwningen.

Yn yr ail bennill sylweddolodd beth oedd wedi digwydd; daethai rhywbeth i dorri ar eu mwyniant. 'Mic, y milgi cas,' a gorfu i'r ddwy ffoi, yn union fel petai llofrudd wedi dyfod ar ôl Lob ac yntau efo cyllell. Yna daeth ystyr y pennill olaf yn berffaith eglur iddo. Yr oedd y gwningen wedi ei lladd, a chan gi, ci o bob dim. Dyna oedd yn galed i'w ddioddef, ci yr un fath â Lob. Nid oedd Lob yn rhedeg ar ôl cwningod petai'r wlad yn berwi ohonynt. Milgi oedd hwn, 'milgi cas' at hynny. Troes y gwningen ei hun yn gi, troes yn Lob, a gwelai ei gi bach wedi marw erbyn yr âi adref, nid wedi ei ladd gan neb. Yr oedd ei dristwch yn ddwbl-drebl, ac yn y stad honno y galwyd arno i'r llwyfan.

Digwyddodd rhywbeth; nid oedd yn malio dim am y beirniad, na'r gynulleidfa, na Mr. Jones, na'i fam, yn hollol wahanol i'r blynyddoedd cynt. Yr oedd ganddo stori i'w dweud wrthynt, stori am ei boen ef wedi ei chuddio ym mhoen anifail. Buasent yn chwerthin am ei ben pe dywedai wrthynt am ei boen ynghylch Lob, ond wrth ddweud am boen cwningen ar ôl colli ei chyfaill gallai ddweud am ei boen ei hun.

Daeth y gair 'dwy' allan yn gryf ac yn bendant fel na allai neb gamgymryd faint o gwningod oedd yno, a thôn ei lais wrth sôn am y gwrando hapus yn gwneud i chwi weld y cwningod a'r llwyn, a gweld yr haul yn gwneud patrwm o'r llwyn ar wynebau'r cwningod. Yr oedd yr ail bennill mor fyw fel y llyncodd Dan ei boeri wrth ddweud 'eu calon yn eu gyddfau,' ac yr oedd y ffoi mor sydyn a ffrwydrol fel na ellid gwybod beth oedd wedi digwydd nes clywed am y milgi. Adroddodd y pennill olaf yn araf a thawel gyda goslef deimladwy, a'i fynegiant ar y gair 'un' wedi mynd yn ddwy sain dosturiol fel dwy don fechan yn ymlid ei gilydd ar draeth, a'r crïo wedi mynd bron yn grïo go iawn. Bu saib o ddistawrwydd deallus yn y gynulleidfa cyn i'r gymeradwyaeth fawr ddyfod.

Yn wir yr oedd Dan yn crïo yn ei du mewn ar ôl y gwningen ac o bryder am Lob. Cafodd y wobr gyntaf gyda chanmoliaeth fawr – yr unig un oedd wedi deall ysbryd y darn yn ôl y beirniad – y tro cyntaf iddo erioed ennill.

Ar ei ffordd adref cerddai mam Dan fel paun, ei chorff yn syth fel y gawnen, bron na welech blu ei chynffon yn agor fel gwyntyll. Cerddai yn syth ymlaen heb edrych ar neb, ddim ar Dan hyd yn oed. Ei buddugoliaeth hi oedd hon, nid un Dan. Gafaelodd ei dad yn ei law a phlygu ei ben tuag ato – yr oedd Dan â'i ben i lawr a'i ddagrau'n powlio oherwydd Lob.

'Da iawn boi, mi alla'i ddallt pam yr wyt ti'n crïo,'

Ond a oedd o'n dallt?

'Poeni ynghylch Lob yr ydw'i.'

'O mi fydd Lob yn iawn.'

Nid oedd llawer o argyhoeddiad yn llais ei dad. Clywai lais Mr. Jones, ei athro.

'Yr oeddwn i'n dweud wrth Dan neithiwr i fod o wedi gwella'n aruthrol.'

Wrth glywed y ffasiwn gelwydd daeth rhyw gythraul i Dan; ei gi bach ef yn dioddef, a phobl fel Mr. Jones mor ddi-ddeall, mor ddi-falio ac mor ddigywilydd â dweud yr hyn nad oedd wir.

'Deud wnaethoch chi, Mr. Jones, mod i mor ddi-liw â set deledu heb lun.'

'Ella, ond mi'r oedd hynny'n welliant ar y troeon cynt.'

Yr oedd Dan yn gynddeiriog ond nid oedd wiw dal at ei athro. Gwyddai'n iawn beth oedd yn mynd trwy feddwl ei fam: dim ond yn y tŷ y meiddiai ei ddweud yn hyglyw. Yr oedd Dan wedi curo Wil y Rhos Lwyd o'r diwedd. Pobl eraill oedd bwgan ei fam trwy fywyd. Yr oedd yn rhaid cael bwgan, a thros gyfnod y dysgu adrodd, Wil a'i deulu oedd y bwgan – nid oedd unrhyw rinwedd yn perthyn iddynt.

Ar hynny daliodd Wil a'i fam hwynt.

'Dew, mi ddaru iti adrodd yn dda,' meddai Wil.'

'Do wir, yn dda iawn, gyda theimlad,' meddai mam Wil.

'Yn fwy na da, yn *wych*,' meddai mam Dan o'i thŵr uchel, 'mi adroddodd yn *wych*.'

Yr oedd hi wedi gwrando ar gymaint o feirniadaethau adrodd erbyn hyn fel y gwyddai'r gair yn dda, a holl siaradach beirniaid adrodd; yr oedd y gair wedi ei ddweud am bawb ond Dan, a rŵan dyma Dan wedi ei haeddu.

'Wel ia,' meddai mam Wil, 'yr oedd yn bryd cael tipyn o newid. 'Roedd Wil wedi cael digon o flaen yn y ras ers blynyddoedd. Mi wneith les iddo fo fod yn ail.'

Ni chymerodd mam Dan arni weld y slap, ond ebe'i dad i dorri ar ei mîn,

' 'Does gin i fawr o feddwl o'r hen adrodd yma wir, nac o'r cystadlu yma, mae o'n difetha plant a'u mamau, a'r holl hen stŵr yma efo'r *eleven plus*.'

' 'Rydw i'n cytuno,' ebe'r athro.

'A finna,' meddai Dan wrtho'i hun, ond nid am yr un rheswm a'r athro.

Ar hyn o bryd nid oedd y pethau yna'n bwysig. Beth oedd ennill ar fymryn o adrodd wrth salwch Lob, a beth fyddai cael gwared o ymarfer adrodd am flwyddyn arall os byddai Lob farw? Cynyddai ei boen eto wrth ddynesu at y tŷ. Carasai droi yn ei ôl ac i rywun ddyfod â'r newydd iddo os byddai wedi marw. Yr oedd yn rhaid ei hwynebu a'i hwynebu ar ei ben ei hun; nid oedd neb arall yn malio.

Yna cofiodd rywbeth. Byddai ei nain yn dyfod gyda hwy i gyfarfod prynhawn yr eisteddfod bob amser, ond y tro hwn dywedodd ei bod am aros gartref.

'Ydach chi ddim am ddŵad i glywed Dan yn adrodd?' gofynnodd ei fam.

'Na, mi rydw i'n dechra mynd yn hen ac yn rhy flinedig i fynd i gymowta, ac mi wn i na fydd Dan ddim dicach.'

'Na fydda' wir, fel arall, yn falch iawn; un yn llai i wrando arna'i.'

Ond gwnaeth ei nain lygad bach arno, ac yr oedd y llygad bach yn awgrymu nad oedd wedi dweud yr holl wir. Yr oedd wedi bod yn holi a oedd yna gastor oil yn y tŷ. Tybed a oedd ei nain yn mynd i dreio mendio Lob? Dynes wydn, benderfynol oedd hi, dynes na chymerai 'Na' hyd yn oed gan gi. Rhoes hyn hyder iddo gyflymu ar hyd y llwybr i lawr at ddrws y gegin gefn, ac O lawenydd! Clywodd gyfarthiad byr cwta Lob, ac wedi agor y drws dyna lle'r oedd o ar y mat yn bwyta sborion cinio Dan, bwyd yr oedd ef wedi methu ei fwyta oherwydd ei boen meddwl. Ni chymerodd Lob sylw ohono, oherwydd ei awch at y bwyd. Rhoes Dan ffrat iddo, ond chwyrnodd y ci yn ysgafn heb godi ei ben. Yr oedd chwyrnu yn well nag ysgyrnygu beth bynnag, a dim ods, yr oedd Lob wedi mendio. Ni chymerodd y fam ddim sylw ohono ond rhedeg yn awchus i'r gegin orau i ddweud am lwyddiant Dan wrth y nain.

'Mi ddeudis i wrthat ti y basa fo'n iawn,' meddai'r tad wrth roi ei gôt ar yr hoel a rhwbio ei ddwylo wrth nesu at y tân.

Yr oedd ei nain wedi hwylio'r te yn barod ac wedi hulio'r bwrdd â phob danteithion.

'Wel, mae'n siŵr dy fod ti reit falch dy fod ti wedi ennill,' meddai hi wrth Dan.

'Dim ods gin i,' meddai yntau, 'mae'n well gin i fod Lob wedi mendio.'

'Ac i dy nain yr wyt ti i ddiolch,' meddai hithau. 'Mi wnes i bilsan o sebon iddo fo, a rhoi castor oil iddo fo. Mi rhedis o allan wedyn ac mi gafodd wared o lynghyran fawr. 'Rwyt ti ar fai rhoi'r hen sioclad yna iddo fo.'

'Dyna bedi cael gormod o bresanta,' meddai Dan, 'a diolch yn fawr i chi.'

Daeth Lob i'r gegin orau â dŵr hyd ei farf. Neidiodd ar lin Dan a derbyn ei anwes heb chwyrnu.

Nid aeth neb ond y tad i'r eisteddfod y noson honno. Nid oedd gan y fam ddiddordeb ynddi ar ôl i Dan ennill. Nid oedd ganddi ddiddordeb yn y ci ychwaith, nac yn Dan am weddill y diwrnod, dim ond fel cyfrwng dyfod â rhyw anrheg Nadolig iddi nas cawsai o'r blaen.

Y noson honno, o flaen tanllwyth braf o dân, eisteddai Dan yn mwynhau un o'r llyfrau straeon a gawsai yn anrheg a Lob yn gorwedd ar draws ei draed. Dyma beth oedd gwynfyd. Eisteddai ei fam a'i nain o boptu'r tân, gwên foddhaus ar wyneb ei fam, mor wirion yr olwg â Mr. Jones yn y prynhawn ac yn dweud bob hyn a hyn fel larwm cloc na ellid ei atal:

'Mi roth Dan gweir iawn i'r Wil yna heddiw. Mi'r oedd o'n wych.'

A'r nain yn dal i wau heb ddweud dim, a Dan yn diolch yn ei galon i'w nain.

1969

# Y Taliad Olaf

Ddoe, buasai'r ocsiwn ar y stoc yn y tyddyn. Heddiw, symudodd Gruffydd a Ffanni i'r tŷ moel i orffen eu hoes. Heno, safai Ffanni Rolant yn union o flaen y cloc yn y tŷ newydd, gan wneud cwlwm dolen ar ruban ei bonet o dan ei gên. Edrychai ar y bysedd fel y bydd plentyn wrth ddysgu dweud faint yw hi o'r gloch, fel pe na bai'n siŵr iawn o'r amser. Nid ei golwg oedd ei rheswm dros ei hagwedd ansicr, ond pwysigrwydd y foment. Yr oedd wrthi'n llusgo gwisgo amdani ers meityn, ac yr oedd yn awr yn barod, ond mynnai ogordroi o gwmpas y cloc fel pe carai ohirio'r peth. Nid oedd yn rhaid mynd heno, wrth gwrs: gwnâi yfory'r tro, neu'r wythnos nesaf o ran hynny. Eithr gwell oedd darfod ag ef, ac wrth fyned heno, ni thorrai ar arferiad blynyddoedd o fynd i dalu i'r siop ar nos Wener tâl. Onid âi, byddai'n rhaid iddi eistedd yn ei thŷ newydd heb glywed buwch yn stwyrian am y pared â hi, a meddwl am yr hen dŷ y buasai'n byw ynddo am dros hanner canrif, ac yr oedd yn rhaid iddi gynefino rywsut â dyfod at ei thŷ newydd o wahanol gyfeiriadau.

Eisteddai ei gŵr wrth y tân yn darllen, mor gysurus ag y byddai wrth y tân yn yr hen dŷ. Anodd oedd meddwl nad oedd ond pum awr er pan orffenasant fudo a rhoi'r dodrefn yn eu lle. Darllenai gan fwnglian y geiriau'n ddistaw wrtho ef ei hun, a mwynhâi wres y tân ar ei goesau. Ni olygai'r mudo lawer iddo ef. Yr oedd yn dda ganddo adael y tyddyn a'i waith. Câi fwy o hamdden i ddarllen, a gallai ef fod yn ddidaro wrth adael y lle y bu'n byw ynddo er dydd eu priodas. Nid felly hi. O'r dydd y penderfynasant ymadael, aethai hi drwy wahanol brofiadau o hiraeth a digalondid ac o lawenydd. Y llawenydd hwnnw oedd achos pwysigrwydd y noson hon. Am y tro cyntaf yn ei hoes briodasol fe gâi orffen talu ei bil siop. Gydag arian yr ocsiwn ddoe y gwnâi hynny.

‘ ’Rydw i’n mynd,’ meddai hi wrth ei gŵr, dan blygu ei rhwyd negesi, a’i rhoi dan ei chesail o dan ei chêp.

‘O’r gora,’ meddai yntau, gan ddal i ddarllen heb godi ei ben. Rhyfedd mor ddifalio y gallai ei gŵr fod. Nid oedd pwysigrwydd y munud hwn yn ddim iddo ef. Anodd credu iddo gael un munud mawr yn ei fywyd, na theimlo eithaf trueni na llawenydd. Caeodd hithau’r drws gyda chlep, a chafodd hamdden i feddwl efo hi ei hun. Yr oedd heno’n brawf pellach iddi mai gyda hi ei hun y gallai hi ymgyfathrachu orau. Prin y gallai neb ddeall ei meddyliau – neb o’i chymdogion na’i gŵr hyd yn oed. Dyma hi heno yn gallu gwneud y peth y bu’n dyheu am ei wneud ers degau o flynyddoedd o leiaf – medru cael stamp ar ei llyfr siop a ‘Talwyd’ ar ei draws.

Pan briododd gyntaf, nid oedd ond Siop Emwnt yn bod, ac yr oedd honno yn y Pentref Isaf – ddwy filltir o’i thŷ, a phob nos Wener troediai hithau i lawr gyda’i rhwyd a’i basged; ac ar y bedwaredd wythnos, wedi nos Wener tâl, deuai car a cheffyl y siop â’r blawdiau i fyny.

Am yr hanner canrif o’r cerdded hwnnw y meddyliai Ffanni Rolant wrth daro ei throed ar y ffordd galed. Ni fethodd wythnos erioed ond wythnos geni ei phlant, bob rhyw ddwy flynedd o hyd. Fe fu’n mynd trwy rew a lluwch eira, gwynt a glaw, gwres a hindda. Fe fu’n mynd pan fyddai ganddi obaith magu, a phan orweddai rhai o’r plant yn gyrff yn y tŷ. Bu’n rhaid iddi fynd a chloi’r drws ar bawb o’r teulu ond y hi yn y gwely dan glefyd. Bu’n rhaid iddi fynd ar nos Wener pan gleddid dau fochyn nobl iddi, Gruffydd Rolant wedi gorfod eu taro yn eu talcen am fod y clwy arnynt, a hithau’n methu gwybod o ba le y deuai’r rhent nesaf. Yr oedd yn rhaid iddi fynd pan nad oedd cyflog ei gŵr yn ddigon iddi drafferthu ei gario gyda hi. Mae’n wir iddi fynd â chalon lawen weithiau hefyd ar ben mis da, pan fedrai dalu swm sylweddol o’i bil. Ond wrth edrych yn ôl, ychydig oedd y rhai hynny o’u cymharu â’r lleill. Gwastadedd undonog y pen mis bach a gofiai hi orau.

Y ffordd hon o’i thŷ i siop Emwnt oedd ei chofiant. Er gwaethaf cyflog da weithiau ni fedrodd erioed glirio’r gynffon yn y siop. Pe gallasai, nid i'r Pentref Isaf yr aethai heno, oblegid erbyn hyn yr oedd digonedd o siopau yn y Pentref Uchaf, cystal â siop Emwnt bob tipyn ac yn rhatach, ond oherwydd na allodd erioed dalu ei dyled yn llawn, bu'n rhaid iddi eu pasio bob nos Wener. Yn awr, pan oedd yn dair ar ddeg a thrigain, y medrai brynu gyntaf yn un ohonynt. Mae'n wir i'r ddeupen llinyn fod yn agos iawn at ei gilydd weithiau, ond pan fyddai felly, fe ddôi salwch, neu farw, a'u gyrru'n bellach wedyn. Ac yn ddistaw bach, y mae'n rhaid dweud i'r deupen llinyn fod yn agos iawn at ei gilydd unwaith neu ddwy, ac y gallasai hithau orffen talu ei bil.

Ond yr oedd gan Ffanni Rolant chwaeth: peth damniol i'r sawl a fyn dalu ei ffordd. Fe wyddai hi beth oedd gwerth lliain a brethyn. Yr oedd yn bleser edrych arni'n eu bodio. Yr oedd rhywbeth ym mlaenau ei bysedd ac ym migyrnau ei dwylo a fedrai synhwyro brethyn a lliain da. Yr oedd ei dull o drin a bodio defnyddiau yn gwneud i rywun ddal sylw arni. Unwaith neu ddwy, pan oedd o fewn ychydig i dalu ei ffordd, fe ddôi'r demtasiwn o gyfeiriad Emwnt yn y ffurf o liain bwrdd newydd. Methai hithau ei gwrthsefyll. Gwelai'r lliain hwnnw ar ei bwrdd cynhaeaf gwair, ac fe'i prynai. Cofiai am y pethau hynny wrth ymlwybro tua'r Pentref Isaf heno. Cofiai am y llawenydd a gâi o brynu pethau newydd ac am y siom a ddeuai iddi'n fisol o fethu talu ei bil. A dyma hi heno'n mynd i'w dalu, wedi deuddeng mlynedd a deugain o fethu, ac nid ag arian y cyflog 'chwaith. Dylasai fod yn llawen, oblegid yr oedd rhai'n gorfod mynd o'r byd a chynffon o ddyled ar eu holau. Yn wir, yr *oedd* yn llawen; buasai'n llawen ers dyddiau wrth feddwl am y peth. Ond fel y nesâi at y siop, nid oedd mor sicr.

Agorodd glicied yr hanner drws a arweiniai i'r siop; ymwthiodd drwyddo a disgynnodd yr un gris i lawr y siop – llawr llechi a'r rhai hynny wedi eu golchi'n lân, ond bod yr ymylon yn lasach na'r canol.

Yr oedd yr olygfa a'r arogleuon yn gynefin iddi – cymysg aroglau oel lamp, sebon, a the, a'r sebon yn gryfaf. Golau pŵl a oedd oddi wrth y lamp a grogai o'r nenfwd – golau rhy wan i dreiddio i gorneli'r siop. Yr oedd anger' llwyd hyd y ffenestr. Byddai hwn a'r golau gwan yn gwneud i Ffanni Rolant deimlo bob amser mai siop yn y wlad oedd y drych tristaf mewn bywyd.

Fel arfer ar nos Wener tâl, yr oedd y siop yn hanner llawn, o ferched gan mwyaf, a phawb yn ddistaw ac yn ddieithr ac yn bell, fel y byddent ar nos Wener tâl, yn wahanol i'r hyn fyddent pan redent yn y bore i 'nôl sgram at 'de ddeg.'

Yr oedd y cyfan, y distawrwydd a'r ofn, fel gwasanaeth y cymun, a'r siopwr yn y pen draw yn gwargrymu wrth ben y llyfrau, a ffedog wen o liain sychu o'i flaen. Edrychai Ffanni Rolant o'i chwmpas ar y cysgodion hir a deflid ar y silffoedd, y cownter claerwyn yn bantiau ac yn geinciau, y clorian du a'i bwysau haearn, y cistiau te duon, a'r 1, 2, 3, 4 arnynt mewn melyn, a'r sebon calen. Yr wythnos nesaf byddai'n prynu mewn siop lle'r oedd cownter coch, a chlorian a phwysau pres, a'r siopwr yn gwisgo côt lwyd. Ni ddywedai neb ddim wrth neb ar ôl y 'Sut ydach chi heno?' Fe droes un wraig i edrych ddwywaith ar Ffanni Rolant am ei bod yn gwisgo cêp yn lle siôl frethyn. Daeth ei thwrn hithau, ac ni ddywedodd y siopwr ddim wrth iddi dalu'n llawn. Yr oedd fel petai'n deall. Rhoes hanner sofren o ddiscownt iddi, yr hyn a ddychrynnodd Ffanni Rolant. Disgwyliai gael hanner coron. Un peth na ddaeth i feddyliau Ffanni Rolant ar ei ffordd i lawr oedd y ffaith iddi dalu dros ddwy fil o bunnau i'r siopwr er pan briododd. Prynodd ychydig bethau a thalodd amdanynt.

'Mae'n debyg na ddo' i ddim i lawr eto,' meddai hi.

Nodiodd y siopwr ei ddealltwriaeth. Cerddodd hithau allan o'r siop. Ymbalfalodd am y glicied, a chliciedodd hi'n ofalus wedi cyrraedd allan.

Edrychodd drwy'r ffenestr lwyd, a gwelai'r siopwr eto a'i ben i lawr dros lyfr rhywun arall.

1933

# Y Man Geni

'Thâl hi ddim fel hyn,' ebe'r Prifathro, gan droi nifer o bapurau, 'dyma chi, bron yng ngwaelod y *class* ar ddiwedd eich ail flwyddyn, a chitha yn uchaf yn y sir yn dwad i mewn.'

Ni wnaeth Tomos ddim ond rhoi ei droed chwith ar gefn ei droed de, yn lle bod ei droed de ar gefn ei droed chwith o hyd.

'Oes yna ryw reswm dros hyn?' ebe'r Prifathro drachefn. 'Ydach chi yn gneud rhyw waith, neu rywbeth sydd yn rhwystr i chi ddysgu?'

'Nag ydw, Syr,' ebe Tomos.

Edrychodd y Prifathro allan drwy'r ffenestr, oherwydd ped edrychasai ar Domos, buasai'n rhaid iddo edrych un ai ar y man geni oedd uwchben ei lygad chwith, neu ar y clwt mawr oedd ar ben glin ei drywsus. Gwnaeth hyn Domos yn hapusach ynteu.

'Tydi hyn ddim yn deg â'ch mam, Tomos. Mae hi'n wraig weddw, ac yn gorfod gweithio'n galed i'ch cadw chi yn yr ysgol. Wel, mae hi'n gweithio'n gletach wrth gwrs na phetaech chi yn medru ennill tipyn hefyd. A hyd y gwela i, mi fydd yn rhaid iddi weithio'n galed ar hyd ei hoes, os na rowch chi eich meddwl ar waith.'

Ni ddywedodd Tomos air. Yn rhyfedd iawn, y rheswm a roddai'r Prifathro dros iddo weithio oedd y rheswm a barai iddo beidio. Gweld ei fam yn gorfod gweithio'n galed ag yntau'n ennill dim a wnaeth i Domos golli blas ar ei wersi. Pan oedd yn hogyn bach, dywedai ei dad bob amser mai mynd i'r chwarel i ennill bwyd yr ydoedd, a chredai'r bachgen hynny mor llythrennol, fel y byddai'n rhaid i'r tad gadw tipyn o'i fwyd chwarel, a dyfod ag ef adref yn ei dynn i Domos bob dydd, a bwytâi yntau'r frechdan sych honno gydag awch gwas ffarm am ei frecwast. Pan laddwyd yr enillydd bwyd yn y chwarel ddwy flynedd cyn hynny, y sylweddolodd Tomos fod yn rhaid i'r frechdan ddyfod o rywle heblaw o dynn bwyd ei dad.

Ar ôl i Domos ennill yr ysgoloriaeth i'r Ysgol Sir y lladdwyd ei dad, ac o'r dydd hwnnw aeth dysgu'n boen arno. Wrth gysidro a chysidro o ba le y deuai'r frechdan, y collodd ei awydd at ddarllen.

Gallai ddychmygu a gweithio dyrysbwnc yn iawn, ond ni allai gofio. A gan mai treiswyr y cof gafaelgar sy'n cipio'r deyrnas mewn arholiadau, deuai'r sgolor yn nes i waelod y rhestr nag i'r top.

Blinai hyn ei ysbryd, rhoddodd orau i weithio, ac aeth i fyw ar ei ddychmygion.

Felly'r diwrnod hwn, ni chafodd geiriau'r Prifathro fawr effaith arno, er iddo yn ei ŵydd fwmial rhywbeth ynghylch addo gweithio'n galetach.

Ond yr oedd Tomos â'i feddwl efo fo, ymhell cyn i'r meistr orffen ag ef, a chyn gynted ag y cafodd hyd i ochr arall drws yr ystafell, rhoddodd y meddwl hwnnw mewn gweithrediad. Penderfynodd redeg adref o'r ysgol, byth i ddychwelyd os cai ganiatâd ei fam. A pha'r un bynnag am hynny, gallai ei fam ddeall yn well na'r Prifathro.

Diwrnod poeth yn yr haf ydoedd - diwrnod wrth fodd beirdd a ffermwyr - ond nid diwrnod i hogyn ysgol, yn ôl tyb Tomos. Pasiodd ddegau o gaeau gwair, lle'r oedd dyn ac anifail yn chwys ac yn llafur. Ond ni chlywodd Tomos aroglau da'r gwair, na chwerthin y bobl.

Ar y ffordd newidiodd ei feddwl yn sydyn. Nid âi adref ar ei union. Yr oedd am fynd am dro i'r chwarel, a mynd adref at ei fam erbyn te. Felly troes o'r ffordd fawr, a cherddodd yn hamddenol ar hyd y llwybrau, gan feddwl, a meddwl, a meddwl. Nid oedd sŵn y gwenyn meirch a wibiai o amgylch ei wyneb yn ddigon i dynnu ei sylw oddi ar ei fyfyrdodau. Eithr rhedodd ei olwg yn ddiarwybod at wyneb gwyn tŷ ei fam yn y pellter, ei ddrws agored a'i fwg union yn mynd i fyny drwy'r corn. Cafodd amser i feddwl hefyd am y gwpaned de a gai gyda'i fam ymhen dwyawr, oblegid cofiodd fod ei fam gartref y diwrnod hwn. Nid âi allan i weithio i neb ar ddifiau.

Dringo'r Foel wedyn, a'r haul yn boeth. Eisteddodd i

lawr yng nghysgod gwal Pant y Ffrydiau – hen gartref ei dad a'i daid. Gorweddodd gan roi ei ben i orffwys ar dwmpath mwsogl. Nid oedd dim sŵn i'w glywed, dim ond sŵn gwres, a sŵn ambell ddarn rwbel yn syrthio o ben tomen y chwarel i lawr. Ac ni wnai hynny ond gwneuthur distawrwydd yn ddistawach. Canodd corn y chwarel, – y corn un. 'Dyna rywrai yn ail-afael yn eu gwaith,' ebe Tomos gan gau ei lygaid. Pe gwelsech ef y munud hwnnw, fe welsech wyneb diniwed, hardd onibai am y man geni (er, yn wir, bod hwnnw'n ychwanegu rhyw swyn ato), a thalcen y gallasech broffwydo dyfodol disglair i'w berchennog, ond nid oedd digon ym mhennau'r defaid i weld dim byd felly, ac aethant ymlaen efo'u pori heb gyffro'n y byd.

Fe'i gwelai Tomos ei hun eto yn hogyn bach yn eistedd ar y stôl gron wrth y tân gartref, ar noson oer yn y gaeaf. Ei dad yn eistedd yn y gadair freichiau wrth ei ochr, a'i wyneb yn rhyw led droi oddi wrtho (yr oedd yr un anaddurn ar ei wyneb yntau), ei fam gyferbyn a chymydog ar gadair arall. Adrodd yr oedd ei dad stori a glywsai'r bachgen ddegau o weithiau erbyn hyn. 'Mi glywis y nhad yn i deud hi ddega o weithia.'

Dyna fel y dechreuai tad Tomos bob amser. 'Doeddwn i ddim wedi fy ngeni,' âi ymlaen, 'ond mi glywis y nhad yn deud hanas Tomos, i fab hyna, lawar gwaith, fel yr ath o allan at y beudy un nos Sul wedi dwad o'r capal, ac fel y rhoth rhyw dderyn mawr dair sgrech wrth i ben o. Mi redodd yr hogyn i'r tŷ wedi dychryn am i hoedal, a deud wrth mam nad âi o ddim i'r chwaral drannoth – bod rhwbath yn siwr o ddigwydd. "Taw a chyboli," medda mam, "coel gwrach ydi peth fel 'na." Wel, mynd i'r chwaral ddaru o beth bynnag, ac mi ddoth ffôl fawr i lawr, ac mi claddwyd ynta dani. Mi fuon heb gâl 'i gorff o am dair wsnos, a'i arch yn y chwaral o hyd. Ia wir, fachgan, ma hi dipyn gwahanol 'rwan. Deuddag oed oedd Tomos pan gafodd o 'i ladd, ac yn gweithio ers tair blynadd. Ar 'i ôl o y galwyd fi yn Tomos wsti, y fi anwyd nesa ato fo.'

Clywai Tomos lais ei dad – y llais nas clywsai ers cymaint. Cododd yn sydyn ar ei eistedd gan ddisgwyl gweled; ie, ond cofiodd mai ar y mynydd yr ydoedd. 'Rhaid imi frysio i fynd adra at de,' ebe fe wedyn, 'ond am dro i'r chwaral gynta.'

Dringodd yn araf ar hyd godre tomen y chwarel. Toc, daeth at ben y twll, a gwelai'r dynion ar y gwaelod yn fychain, bach, ac eto, yr oedd y dynion bychain, bach, yn gweithio'n galed; yn tyllu, yn tyllu, yr un amser, yr un mesur, o hyd, o hyd. A chwysai Tomos drostynt ar y lan.

Dechreuodd feddwl am ei dad, am y breuddwyd, oni fuasai'n well pe buasai yntau'n gweithio yn y chwarel efo'i ddwylo, yn lle meddwl o hyd? Dechreuodd y twll droi a'r dynion i'w ganlyn. Aethant yn bellach, bellach. Collodd Tomos ei ben, syrthiodd i lawr,——a——

* * * *

Tua deg o'r gloch y noson honno, eisteddai mam Tomos wrth y tân gyda chymdoges. Buasai degau o bobl yno er pedwar y prynhawn, ac erbyn hyn yr oedd pob man cyn ddistawed â'r corff bach, oer yn y siamber. Gwrandawai'r ddwy ar dip y cloc, a thip hwnnw'n arafach ac yn drymach y noswaith honno. Ni thorrai dim arall ar y distawrwydd, ond ocheneidiau dwys y fam.

Ebe Gwen Jones yn y man,–

'Faint sydd er pan laddwyd brawd Tomos Jôs yn y chwaral?'

'Ma deugain mlynadd reit siwr,' ebe'r fam.

'Felly ôn inna'n meddwl. Tomos odd i enw ynta hefyd, yntê?'

'Ia, Tomos anwyd gynta wedyn. Llawar y glywis i nain yn sôn am y ddamwain honno.'

Ac fel un yn deffro o hunllef,

'Ac mi rodd gin y Tomos cynta fan geni wrth ben i lygad chwith fel fy nau Domos inna.'

1921

# Ffair Gaeaf

Dyna lle'r oeddynt, yn llond cerbyd trên, a'u hwynebau at Ffair Gaeaf – hynny a fyddai ar ôl ohoni. Ffawd a'u taflodd yno i gyd at ei gilydd felly, nes eu gwneud megis un teulu, ag iddynt bob un ei bleser ei hun wrth edrych ymlaen at Ffair Gaeaf.

Yn un gornel eisteddai Esra (nid oes eisiau rhoi ei gyfenw, gan na ddefnyddiai neb mohono), yn gwisgo het galed ddu, a redai'n bigfain i'r tu blaen ac i'r tu ôl, a thopcot a fu un adeg yn ddu ac ymyl ei choler felfed yn cyrlio tipyn. Dyn tal, tenau ydoedd, a llygaid rhy fychain bron i chwi fedru dweud eu lliw. Dyma'r tro cyntaf iddo fod yn y Dre ers blwyddyn. Gwas ffarm ydoedd. Ni allech ddweud beth oedd ei oed. Gallai fod yn bymtheg a deugain, a gallai fod yn ddeunaw ar hugain.

Wrth ei ochr eisteddai Gruffydd Wmffras a Lydia ei wraig – pobl oddeutu trigain oed, ond ei fod ef yn edrych yn well na hi. Yr oedd golwg iach arno ef – ei groen o liw'r tywydd a'i fochau'n gochion. Dangosai ddwy res dda o'i ddannedd ei hun wrth chwerthin. Gwisgai yntau het galed ddu, dipyn newyddach nag un Esra, a thopcot ddu, dew, a blewyn gwyn ynddi. Yr oedd ei wraig yn denau, ac wedi colli llawer o'i dannedd a heb gael rhai yn eu lle. Gwnâi pantiau ei childdannedd iddi edrych yn hen. Gwisgai gôt ddu a oedd ar ei phedwerydd tymor gaeaf yn awr, a het ddu newydd a gawsai eleni. Ond nid edrychai'r het yn ffasiynol, oblegid codai cocyn ei gwallt hi i fyny oddi ar ei phen. Am ei gwddf yr oedd crafat lês gwyn wedi ei gau yn y tu blaen gyda phin broitsh.

Yn y gornel arall eisteddai Meri Olwen, geneth dwt, lân, tua phump ar hugain oed, yn gwisgo siwt newydd a gafodd ben tymor – côt las, sanau sidan llwyd, ac esgidiau mroco du.

Gyferbyn â hi, ar y sêt arall, eisteddai Ben Rhisiart a

Linor ei wraig – pâr ieuanc newydd briodi. Caru yr oeddynt pan aent i Ffair Gaeaf y llynedd. Ffermwr ieuanc oedd ef, yn ffarmio fferm a adawodd ei dad iddo, a'i fam yn byw gydag ef a'i wraig. Gwisgai ei wraig ac yntau ddillad golau, rhad – efô yn gwisgo cap a ddeuai'n isel am ei ben. Yr oedd hi'n groenlan ond yn ddanheddog, ffaith a barai i'w cheg ymddangos fel eiddo un a chanddi feddwl mawr ohoni ei hun.

Rhyngddynt hwy a'r drws arall eisteddai Sam, bachgen chwech oed, ac ŵyr i Gruffydd a Lydia Wmffras, yn cael myned i'r Ffair efo'i daid a'i nain am y tro cyntaf. Ond eisoes, ar ei ffordd i'r stesion, piniasai ei lewys wrth John, a oedd ar hyn o bryd yn chwibianu cân werin yn y cyntedd. Bachgen tair ar ddeg oed yn cael mynd i'r ffair ar ei ben ei hun oedd John. Yr oedd wedi hen arfer mynd i bobman ar ei ben ei hun, neu'r rhan fynychaf, gydag anifeiliaid rhywun. Ond heddiw, nid âi neb ag anifail i'r ffair, felly câi yntau fynd yno yn y prynhawn yr un fath â phawb arall. Ni faliai lawer am i Sam lusgo wrtho, ond eto rhoesai nain Sam chwech iddo ar y ffordd i'r stesion, ac yr oedd yr awgrym yn ddigon i John.

Yr oedd y tu mewn i'r cerbyd yn gynnes, y ddwy ffenestr wedi eu cau i'r top, a'r anger' oddi wrth anadl y teithwyr wedi cuddio'r ffenestri. O'r tu allan yr oedd gwlad lom o ffermydd am filltiroedd – y caeau'n berffaith lwm, a'r tai'n edrych yn unig a digysgod ar y llechweddau, ac o'r trên felly yn edrych yn anniddorol i'r sawl nad oedd yn byw ynddynt. Yr oedd yn braf yn y trên cynnes, a'r niwl ar y ffenestri yn hanner cuddio llwydni eu bywyd beunyddiol ar y ffermydd. Dim ond John a drafferthai rwbio'r ffenestr, am mai unig swyn mynd mewn trên iddo ef oedd cael edrych allan. O'r tu mewn siaradai pawb am bopeth, a Sam yn cael mwy o sylw na neb arall am ei fod yn gallu adrodd enw pob stesion i'r Dre yn eu trefn gywir. Cafodd geiniogau gan y teithwyr eraill am fod mor wybodus.

Wedi cyrraedd y Dre, ymwahanodd pawb. Yr oedd Lydia Wmffras yn awyddus iawn i gael sgwrs efo'i chwaer, na welsai ers misoedd, ac felly gofynnodd i John a gâi Sam fynd gydag ef. Ar funud gwan, addawsai i Sam y câi ddyfod gyda hi i'r Dre Ffair Gaeaf, ac erbyn hyn edifarasai, gan mai ei hunig amcan hi wrth ddyfod i'r Dre oedd cael gweld Elin ei chwaer, a oedd yn byw yn rhy bell oddi wrthi iddi ei gweld yn aml.

Am Gruffydd Wmffras, dyfod i'r Ffair i edrych o gwmpas pwy a welai yr oedd ef. Yn yr amser a aeth heibio deuai gyda gwartheg yn y bore, er na byddai ganddo weithiau ddim ond swynog a llo neu ddau. Ond yn awr nid oedd yn werth cerdded cymaint pellter. Ni ofynnai neb i beth oedd buwch yn dda mewn ffair. Ond yr oedd yn rhaid iddo gael dyfod i'r Dre, ac fe aeth i gymowta hyd y Maes. Yr oedd digon o bobl yn fan honno, a digon o foduron â'u trwynau i gyd yr un ffordd fel lot o filgwn yn barod i gychwyn ras. Teimlai'n braf wrth fod yng nghanol digon o bobl, ac yr oedd arno eisiau siarad â phawb. Wedi tindroi a chael gair â hwn ac arall, gwelodd o'r diwedd yr un yr oedd arno fwyaf o eisiau ei weld – Huw Robaits.

'Gest ti'r ffair y bore?' gofynnai Gruffydd.

'Ges i be'?

'Gest ti'r ffair?'

'Amhosib iti gael dim os na fydd o.'

' 'Doedd yna ddim ffair, 'ta?'

' 'Doedd yma ddim un anifail ar y Maes yma heddiw. Wyt ti'n clywed ogla ceffyl neu fuwch yma? Dim peryg! Rhaid iti fynd i sêl Tom Morgan i weld buwch y dyddiau yma,'

Aeth Gruffydd i syndod.

' 'Dwn i ddim be ddaw o'r byd, wir,' ebe'r olaf.

'Wel mi awn i'r Wyrcws i gyd efo'n gilydd; mae hynny'n gysur,' meddai Huw.

'Wyt ti wedi dechrau lladd rhai o dy anifeiliaid?'

'Naddo, dim eto. Wyt ti?'

'Do mi laddis ddau oen yr wsnos dwaetha, ond 'ladda i 'run eto. Mae'r bwtseriaid yn codi gormod o dwrw.'

'Ddoi di am beint i godi dy galon, 'r hen fachgen?'

Ac aethant i dafarn yn Nhre'r Go.

* * * *

Yr oedd Elin, chwaer Lydia, yn disgwyl amdani wrth y motor. Nid ysgrifenasai'r un o'r ddwy at ei gilydd i ddweud pa un a fyddent yn y Dre ai peidio. Cymerai un yn ganiataol y byddai'r llall yno.

'Mi 'roedd dy drên di'n hwyr,' ebr Elin y peth cyntaf.

'Nag oedd, wir; dy foto di oedd yn fuan. Sut wyt ti, dwad?'

'O, iawn am wn i, a chysidro byd mor dlawd ydi hi. Mae arna i eisio mynd i brynu het. Ddoi di efo fi?'

'Do' i,' meddai Lydia, a'i chalon yn ei hesgidiau, oblegid gwyddai sut brynhawn a gâi efo Elin.

'Mi awn ni i'r *Ddafad Aur,*' meddai'r olaf, 'mae yn fan'no fwy o hetiau at dâst rhywun fel taswn i. Dwad i mi, wyt ti'n cael rhywfaint o bris am dy lefrith?'

'Chwecheiniog y chwart; 'run fath â'r ha'.'

'Mi 'rwyt yn lwcus. Grôt ydan ni'n ei gael acw.'

'Sut felly?'

'Rhyw hen bethau diarth ddoth hyd y fan acw a dechra'i werthu o am rôt. 'Tydi hi ddim gwerth iti dynnu ceffyl allan o'r stabal i fynd allan hefo fo.'

Cyn pen chwarter awr yr oedd Lydia ac Elin yng nghanol môr o hetiau yn *Y Ddafad Aur.*

'Mae hon'na yn ych siwtio chi'n *splendid,* Mrs. Jones,' ebe geneth y siop am bob het a dreiai Elin am ei phen, a Lydia 'r ochr arall yn tynnu wynebau ac yn ysgwyd ei phen i ddangos na chytunai.

Wedi treio tua phymtheg, yr oedd golwg fel peth wedi rhusio ar Elin, nes gwneud ichwi deimlo tosturi trosti.

' 'Twn i ddim pwy brynai het byth,' ebe Elin. 'Maen nhw'n gwneud hetia 'rwan ar gyfer rhyw hen genod efo gwyneba powld, a ddim yn meddwl am rywun sy'n dechra mynd i oed.'

'Dyna un reit ddel,' meddai Lydia. 'Mae honna'n edrach yn dda iawn iti'; er nad edrychai fawr gwell na'r un o'r blaen.

'Wyt ti'n meddwl? Ylwch, Miss, 'oes gynnoch chi ddim rwbath tebyg i honna sy gin fy chwaer? Lle byddi di'n cael dy hetia, dwad, Lyd? Mae gin ti ryw het ddelia am dy ben.'

' 'Toedd dim eisio i tithau dorri dy wallt.' A bu agos i'r

ddwy ffraeo. O'r diwedd cafodd Elin het i'w phlesio am bymtheg ac un ar ddeg. A beirniadai Lydia ei chwaer yn ddistaw bach am dalu cymaint. Chwech ac un ar ddeg a gostiodd ei hun hi.

'O diar,' ebe Lydia, wedi myned allan o'r siop, dan agor ei cheg, 'mae arna i eisio 'paned. Ddoi di i'w chael hi rwan, Elin?'

'Do' i. Mi awn ni i demprans Jane Ellis ym Mhen Deits.'

Ac yno yr aethant. Dechreuai dywyllu erbyn hyn. Yr oedd ystafell fwyta'r temprans yn berffaith wag. Llosgai tân marwaidd yn y grât. Yr oedd llieiniau gwynion glân ar bob bwrdd, a disgleiriai'r peth dal pupur a halen er ei fod yn felyn.

'Sut ydach chi heddiw, bob un ohonoch chi?' meddai Miss Ellis. 'Hen ddiwrnod trwm, yntê? Fuoch chi yn y ffair? 'Tasa 'na ffair ohoni hi. 'Tydi Ffair Gaea ddim beth fydda hi ers talwm. Beth ydach chi amdano fo? Gymwch chi dipyn o bîff poeth efo the?'

'Beth wyt ti'n ddweud, Lyd?'

'Ia; mi fasa bîff poeth efo gwlych yn reit neis.'

'Rown ni ddim thanciw am de a rhyw hen deisis,' meddai Elin. 'Dwad i mi, fyddi di'n clywed sut y mae Lora, gwraig Bob?' (Eu brawd oedd Bob.)

'Mi ges lythyr y diwrnod o'r blaen yn deud mai cwyno'n arw mae hi. Bob sy'n godro a gwneud pob dim allan byth.'

'Mi gafodd Bob lwci-bag pan gafodd o Lora.'

Gorffenasant eu gosod yn eu lle cyn i Gruffydd a Huw Robaits gyrraedd yno.

'Pwy sydd am fy nhretio i i de?' meddai Huw Robaits yn chwareus.

'Ia,' meddai Elin, 'fasa fawr i chi ein tretio ni i gyd, Huw Robaits. Fydda i byth yn cael cropar na dim gin neb 'rwan.'

'Dyma un wnaiff ych tretio chi, Elin,' meddai Gruffydd Wmffras, wrth weld Esra yn estyn ei ben heibio i'r drws. 'Gin yr hen lancia y mae arian 'rwan.'

A bu'r pump yn yfed te a bwyta cig poeth a gwlych am amser hir.

Cyn mynd i'r tŷ bwyta buasai Esra yn cerdded

strydoedd y Dre yn ddiamcan. Dyna a wnâi bob dydd Sadwrn Ffair Gaeaf. Yr oedd yn ddyn rhy ddi-sgwrs i siarad â fawr neb. Nid oedd ganddo na chyfeillion na chariad. Petasai posibl ennill yr olaf heb siarad buasai wedi ceisio ennill y ddynes a welai yn y Dre bob Ffair Gaeaf. Ni wyddai pwy ydoedd yn iawn. Yr oedd ganddo amcan mai gweini yn rhywle yr ydoedd. Ond unwaith mentrodd daro sgwrs â hi, a'r un fyddai bob amser ar ôl hynny.

'Sut ydach chi heddiw?'

'Da iawn, diolch.'

'Hen ddiwrnod diflas ydi hi, 'ntê?'

'Ia.'

'Fuoch chi yn y ffair?'

'Na fuom i.'

' 'Does yna ddim llawer o ddim byd i weld yna.'

'Nag oes, yn nag oes? Wel, rhaid imi fynd?'

Ac ni byddai gan Esra byth ddigon o galon i ofyn iddi ddyfod i gael te efo fo neu am dro. Fe'i gwelodd hi eleni eto, a'r un fu'r sgwrs. Ond nid enillodd Esra ddigon o nerth i ofyn iddi. Erbyn cyrraedd y temprans yr oedd yn ddigon balch na byddai'n rhaid iddo dalu am de neb ond ei de ei hun. Fe gafodd dipyn o fraw pan awgrymodd Gruffydd Wmffras yn chwareus iddo eu tretio i gyd i de. Yr oedd yn un o'r bobl hynny a oedd yn rhy law-gaead i fwynhau siarad gwamal ynghylch arian.

* * * *

Wedi gadael y stesion cerddodd Meri Olwen yn syth at hen siop Huw Wmffras, lle'r oedd i fod i gyfarfod â'i chariad, Tomos Huw. Chwarelwr ydoedd, yn byw wyth milltir o'r fan lle'r oedd hi'n forwyn. Yr oedd yn well gan Meri Olwen fod Tomos Huw yn byw cyn belled â hynny oddi wrthi, oblegid bod ganddi ddelfrydau. Ac un o'r delfrydau hynny ydoedd bod yn well i chwi beidio â gweld eich cariad yn rhy aml – fel y gwnâi rhywun petai'n byw yn yr un pentref. Yr oedd hi'n eneth dda i unrhyw feistres. Gweithiai'n ddidrugaredd rhwng pob dau dwrn caru er mwyn i'r amser fynd heibio'n gyflym, ac am y gwyddai y byddai'n sicr o'i mwynhau ei hun pan ddôi noson garu. Dim ond gwaith a wnâi iddi anghofio'i dyhead am weld Tomos. Ac eto, yr oedd yn sicr yn ei meddwl, pe gwelsai hi Tomos yn aml, yr âi'r dyhead yma'n llai, ac y câi hithau felly lai o bleser pan fyddai yn ei gwmni.

Ar hyd y ffordd yn y trên prin y medrai guddio ei gorawydd am weled Tomos, a phan gerddai ar hyd y Bont Bridd, bron na theimlai'n sâl rhag ofn na byddai Tomos yno.

Oedd, mi 'roedd o yno, yn siarad ac yn lolian efo thair o enethod, a'r rheini'n chwerthin ar dop eu llais a thynnu sylw pawb atynt. Safodd Meri Olwen yn stond. Aeth rhywbeth oer drosti. Yr oedd Tomos yn ei fwynhau ei hun yn aruthrol. Yr oedd yn ceisio dwyn rhyw gerdyn a oedd yn llaw un o'r genethod, a hithau'n gwrthod ei roi iddo. Medrodd gael cip arno o'r diwedd, ond nid heb i'r eneth dynnu ynddo lawer gwaith. Chwarddodd Tomos dros y stryd wedi gweld yr hyn a oedd ar y cerdyn, ac wrth ei roi'n ôl i'r eneth syrthiodd ei lygaid ar Meri Olwen, a sadiodd ei wep. Gadawodd y genethod yn ddiseremoni, a daeth at Meri.

'Hylo, Meri, sut y mae hi? Mi 'roedd ych trên chi'n fuan, oedd o ddim?'

'Dim cynt nag arfer.'

'I b'le cawn ni fynd?'

'Waeth gin i yn y byd i b'le.'

'Ddowch chi am de 'rwan?'

'Na, mi fydd yn well gen i ei gael o eto.'

'Mi awn ni am dro i'r Cei ynta.'

Yr oedd calon Meri Olwen fel darn o rew, a'i thafod wedi glynu yn nhaflod ei genau.

'Rydach chi'n ddistaw iawn heddiw.'

'Mae gofyn i rywun fod yn ddistaw, gin fod rhai yn medru gwneud cimint o dwrw.'

'Pwy sy'n gwneud twrw 'rwan?'

'Y chi a'r genod yna gynna.'

'Mae'n rhaid i rywun gael tipyn o sbort weithia – pe tasach chi'n gweld postcard doniol oedd rhywun wedi ei anfon i Jini.'

' 'Toes arna i ddim eisio clywed dim amdano fo.'

'Twt, mi 'rydach chi'n rhy sidêt o lawer.'

'Ydw, drwy drugaredd; 'fedrwn i byth lolian efo hogiau fel yna.'

'O! gwenwyn, mi wela' i.'

Ac ni fedrai Meri Olwen ateb dim iddo, oblegid dywedasai'r gwir.

Aeth yn ei blaen, ac yntau'n llusgo ar ei hôl.

'Well i chi fynd yn ôl at ych Jini, a'i jôcs budron.'

Safodd Tomos wedi ei syfrdanu. Ni chlywsai erioed mo Meri Olwen yn siarad fel hyn o'r blaen. Yr oedd hi yn un o'r rhai mwyneiddiaf.

Cerddodd hi ymlaen ac ymlaen. Trawai ei sodlau'n drwm ar y ddaear, ac fe'i cafodd ei hun ymhen yr awr mewn pentref nas adwaenai. Yn y fan honno y dechreuodd oeri. Gymaint yr edrychasai hi ymlaen at y diwrnod hwn ers pythefnos! Nid yn aml y medrai fforddio dyfod i'r Dre. Edrychasai ymlaen nid yn unig at weld Tomos, ond hefyd at gael te gydag ef yn *Marshalls,* a chael dangos i bobl fel Ben a Linor, a oedd newydd briodi, ei bod hithau ar y ffordd i wneud hynny. Ond rwan yr oedd ei delfryd yn deilchion. Cerddodd yn ôl i'r Dre yn araf, a'i chrib wedi ei dorri. Nid aeth i gael te yn unman. Aeth i ystafell aros y stesion i ddisgwyl y trên saith.

* * * *

Rhuthrodd Ben Rhisiart allan o'r stesion a rhedeg ar ei union i'r cae cicio. Yr oedd y Dre yn chwarae yn erbyn Caergybi. Yr oedd i gyfarfod â Linor yn *Marshalls* erbyn amser te. Cerddodd Linor yn araf ar hyd y stryd ac edrych yn ffenestr pob siop. Yr oedd arni flys pob dilledyn crand a welai. Byddai ar fin mynd i brynu blows neu grafat pan gofiai na fedrai eu fforddio. Wedi cyrraedd siop y drygist aeth i mewn yn syth heb ailfeddwl, a phrynodd bowdr wyneb a photel sent. Cerddodd ymlaen yn araf wedyn gan ddisgwyl gweld rhai o'i hen ffrindiau. Edrychasai ymlaen at weld rhai ohonynt heddiw; nid bod arni eisiau sgwrsio â hwynt fel hen ffrindiau, ond am fod arni eisiau tynnu dŵr o'u dannedd fel gwraig briod ieuanc. Ond ni welodd yr un ohonynt. Gwelodd gip ar Tomos Huw yn rhedeg i ddal un o'r moduron ar y Maes a'i wyneb yn goch iawn. Ond ni welodd ef hi – a gresyn hynny, oblegid buasai'n falch pe gwelsai ef hi.

Wedi blino cerdded o gwmpas, aeth i *Marshalls* i eistedd i lawr ac i aros Ben. Teimlai wrth ei bodd yno. Cael cerdded ar garped ac edrych ar fwyd neis a blodau a digon o bobl. Mor wahanol i'r bwyd a arferai ei gael. Nid oedd ei chrwst teisen hi byth yn llwyddiant. Byddai fel hen esgid o wydn. A sut oedd disgwyl iddo fod yn wahanol a'r popty wedi torri? A dim siawns ei drwsio tra daliai ei mam yng nghyfraith i ddweud ei fod yn iawn: ei fod wedi pobi'n iawn iddi hi felly am yr ugain mlynedd diwethaf. Efallai ei bod yn pobi bara; ond wedyn, i beth yr âi neb i bobi bara, a'r car bara'n galw bob dydd? Ond am grwst teisen, ni fedrech brynu hwnnw yn y wlad. Eithr heddiw, beth bynnag, fe gâi deisennau bychain o binc a melyn, crwst fel petai wedi ei chwythu a hufen y tu mewn iddo. O, yr oedd hi'n hapus – ond pan gofiai am ei mam yng nghyfraith. Dyna'r unig ddraenen. Rhinciai ei geiriau heddiw, cyn iddynt gychwyn, yn ei chlustiau. ''Dwn i ddim be' sy arnoch chi eisio mynd i'r ffair, wir, a'r byd mor wan. A pheth arall, 'does dim Ffair Gaea 'rwan, fel bydda ers talwm. 'Does yna na chaws cartra, na wigs, na theisis cri, na dim byd felly, na neb fel y Bardd Crwst yn canu baledi.' Niwsans oedd ei mam yng nghyfraith, a dweud y gwir, yn sôn am 'ers talwm' o hyd ac yn diarhebu at wastraff yr oes yma. Beth pe gwyddai fod gan ei merch yng nghyfraith bowdr wyneb yn ei bag 'rwan? A beth pe gwyddai y byddai Ben yn talu rhyw bedwar swllt am de i ddau? Toc fe ddaeth Ben, a chydag ef lawer eraill, nes llenwi'r ystafell bron. Yr oedd yr awyrgylch yn gynnes, a goleuni'r trydan yn disgleirio'n llachar ar y tebotiau aliwminiwm.

Ni fwynhasai Ben lawer arno'i hun yn y cae cicio. Yr oedd yr hen ysbryd tanbaid a fyddai rhwng y Dre 'ma a Chaergybi wedi marw.

Mwynhaodd y ddau eu te.

'Be' ydan ni am wneud 'rwan?'

‘Waeth inni ei gorffen hi ddim, a mynd i’r pictiwrs,’ meddai Linor.

‘Wedi meddwl mynd adra efo’r trên saith yr oeddwn i.’

‘Twt, dowch i’r pictiwrs. Ella na fyddwn ni ddim i lawr y rhawg eto.’

Ac felly y cytunwyd.

* * * *

Nid oedd John yn fodlon iawn bod nain Sam wedi pinio’r olaf wrth ei lewys ef am brynhawn cyfan. Yr oedd gan John ei syniadau ei hun am dreulio diwrnod mewn ffair. Hanner y difyrrwch oedd cael bod yno ar ei ben ei hun, heb neb i ymyrryd dim ag ef, a medru profi ei wybodaeth o ddaearyddiaeth lle a oedd yn hollol anadnabyddus iddo ychydig flynyddoedd yn ôl. Ond yn awr yr oedd yn rhaid iddo edrych ar ôl Sam, ac yr oedd hwnnw’n rhy fychan i fedru edmygu gwybodaeth helaeth John o strydoedd y Dre. Aeth y ddau yn wysg eu trwynau nes cyrraedd y Maes. Nid oedd dim byd yn newydd yn y fan honno i John. Yr unig wahaniaeth rhyngddo a rhyw Sadwrn arall oedd bod yno stondin pwl-awê, ac am honno yr anelai. Ond yr oedd ar Sam eisiau sefyll wrth y stondin lestri i gael gweld y dyn yn hitio a lluchio’r platiau ac eto heb eu torri.

‘Mae arna i eisio prynu plât i fynd adra i mam,’ meddai Sam.

‘Well iti fynd ag injian roc iddi o lawer,’ meddai John; ‘mae gynni hi ddigon o blatia.’ Er ei holl wybodaeth, ni wyddai John yn iawn sut i gynnig mewn ocsiwn.

‘Yli di,’ meddai wrth Sam wrth y stondin pwl-awê, ‘tria di ’nelu at y darn mwya’ acw.’

A thynnodd Sam geiniog boeth, chwyslyd, o ganol dyrnaid o geiniogau a’i rhoi i’r ddynes. Gwan iawn oedd plwc Sam, a disgynnodd y bêl wrth ddarn main, tenau o injian roc. Treiodd John, a chafodd ddarn tew. Mynnai Sam dreio wedyn wrth weld lwc John, ond un main a gafodd y tro hwnnw.

'Tyd odd'ma,' meddai John, 'neu mi wari dy arian i gyd, ac mi fydd yn rhaid inni gael *chips* cyn mynd adra.'

Aethant i'r Cei, a mynnai Sam gael bwyta'i injian roc y munud hwnnw.

'Cad o, was, neu 'fydd gin ti ddim i fynd adra i dy fam.'

Ond ni wrandawodd Sam.

'Hon ydi'r siop ora yn y Dre am *chips,*' meddai John, wedi cyrraedd siop yn Stryd——.

Rhoes Sam i eistedd wrth fwrdd yno fel petai gartref, a thynnodd ei gap.

'Be' s'arnoch chi eisio?' meddai'r eneth a weinyddai.

'Gwerth tair o *chips* i mi, a dwy iddo fo,' meddai John.

'Na, mae arna i eisio gwerth tair,' meddai Sam, a dechreuodd strancio.

'O, o'r gora,' meddai John. 'cofia di na adewi di ddim un ar ôl.'

Yr oedd Sam yn tuchan ymhell cyn gorffen ei werth tair, a dechreuodd lorio. Ymhen tipyn daeth rhywbeth rhyfedd ar lygaid John. Edrychai ar Sam, a gwelai ei wyneb yn wyrdd.

'Be sy arnat ti?' meddai wrth Sam.

'Pwys gloesi,' meddai hwnnw.

Ac ar y gair dyna Sam yn taflu i fyny.

'O! 'r cnafon bach difannars,' meddai'r forwyn pan ddaeth yno.

' 'Toedd gynno fo ddim help, wir,' meddai John, a Sam yn crio'i hochr hi erbyn hyn.

'Hitia befo; mi awn i chwilio am dy nain,' meddai John.

Ac fe gawsant hyd iddi fel y deuai allan o'r tŷ bwyta ym Mhen Deits.

Aeth John i fwynhau gweddill ei ddiwrnod fel y dymunai, a gallasech ei weld ymhen tipyn yn syllu ar y cwningod a'r adar yn Llofft yr Hôl.

* * * *

Rhyw griw bach digon diynni a heliodd at ei gilydd i gyfarfod â'r trên saith. Edrychai Lydia a Gruffydd Wmffras yn eithaf hapus, Meri Olwen yn druenus, a Sam yn llwyd a distaw. Chwibanai John wrth y stondin lyfrau. Yr oedd Esra'n ddyn hollol wahanol. Cawsai dri pheint ar ôl i'r tafarnau ailagor. Dyma'i unig foeth mewn blwyddyn o amser. Daeth at y lleill dan fwmian canu, a'i het ar ei wegil a'i wyneb yn chwys.

'Hylo, 'r hen gariad; lle mae dy garmon di ar noson Ffair Gaea?' meddai wrth Meri Olwen.

Gafaelodd Esra yn ei phen a'i droi tuag ato. Wrth weled Esra, y dyn mud, mor siaradus, a gweld yr olwg ryfedd arno, dechreuodd Meri Olwen chwerthin yn aflywodraethus.

'Oes gin ti gariad?' meddai Esra. Ar hynny daeth y trên i mewn. Rhuthrodd pawb am le.

Ac yn y rhuthr gafaelodd Esra ym Meri Olwen, a thynnodd hi i gerbyd gwahanol i'r lleill.

Yn y tŷ darluniau byw, clertiai Ben a Linor ar ei gilydd, wedi ymgolli'n llwyr mewn llun a ddangosai fywyd nos New York, merched heirdd mewn dillad costus yn yfed diodydd na welodd Ben na Linor erioed eu henwau, a dynion yn syllu i fyw eu llygaid.

Ni chofient fod trên mewn bod.

1937

# Y Daith

Dyma'r sŵn o'r diwedd, y sŵn y buasai ar y fam ei ofn ers wythnosau, sŵn cras y frêc wedi stopio wrth y llidiart, fel petai'r llidiart ei hun yn gwichian ar ei hechel. Cododd ei sbectol uwchben ei thrwyn i gael golwg eto ar ei mab Dafydd, yr olaf o'i phlant i adael cartref, cyn iddo gychwyn am y De. Cymerodd y tad afael yn un glust i'r bocs tun, a chyn i'r mab afael yn y llall, cipiodd y fam ynddi ac aeth y ddau ag ef a'i osod yn y frêc fel petaent yn cario aberth at allor, yn gwrthwynebu ond yn gorfod ei roi. Troes Dafydd ei ben ac edrych ar y gegin, yr aelwyd gysurus, olau-obeithiol oddi wrth y lamp, yn ei gwahanu ei hun oddi wrth y rhan dywyll arall. Edrychodd cyd ag y medrai ar y plât a'r gwpan a'r soser ar y bwrdd. Byddai cwpan a soser arall yn rhywle heno.

'Da boch 'di, machgen i. Cofia roi'r posciard yn y post cynta' y cyrhaeddi di.'

'Mi fydda i'n siŵr o wneud. Mi gewch chi weld y bydd popeth yn iawn.'

Ni wyddai beth i'w ddweud. Yr oedd yn dda ganddo gael cychwyn o'r diwedd. Yr oedd y munudau olaf hyn wedi bod yn boenus; siarad er mwyn cael peidio â dweud yr hyn a deimlent mewn gwirionedd. Gwnaeth y fam osgo fel petai'n mynd i gadw'r llestri, ond gadawodd hwy fel yr oeddynt; câi felly gadw'r munudau olaf cyn yr ymwahanu o'i blaen a'u cofio.

Cleciodd y gyrrwr ei chwip; symudodd y ddau geffyl yn araf a goleuni bach egwan y ddwy lamp yn chwarae o gwmpas eu traed. Eisteddai'r tad a'r mab un o boptu'r bocs tun fel petaent yn eistedd o boptu arch, y tad yn pwyso ymlaen, a'i lygaid yn trywanu wyneb y mab. Arch ydoedd y bocs iddo ef.

'Pryd y cyrhaeddi di, tybed?'

'O, mi fydd wedi twllu.'

'Bydd, reit siŵr.'

Siaradent yn ddistaw fel petai arnynt ofn i'r gyrrwr eu clywed. Yr oedd y wlad o'u cwmpas fel coedwig ddu a'r tai yn ddim ond clytiau tywyllach yn ei chanol; yr awyr fel cwrlid o inc glasddu yn cyfarfod â'r ddaear tua'r môr, a goleuadau'r dre fel clwstwr o sêr ar y gongl. Wrth fyned ymlaen cynefinai eu llygaid â'r tywyllwch; deuai ffurf y tai yn gliriach a golau'r lampau tu ôl i'r llenni fel golau'r lleuad tu ôl i niwl. Fel y culhai'r ffordd gwyddent eu bod yn mynd rhwng gwrychoedd, a thoc gwyddent fod môr ar y gorwel.

'Dyma ni,' meddai'r tad gyda rhyw derfynoldeb annisgwyl.

Yr oedd lamp fawr â golau llachar yn ystafell aros y stesion a'r gorsaf-feistr â'i wyneb yn y twll ticedi fel petai'n disgwyl amdanynt,

'Dowch rownd i fan'ma,' meddai ar ôl tyllu'r ticed, 'mae gen i danllwyth o dân.' Yr oedd yn well gan yrrwr y frêc aros o'r tu allan. Tynnwyd y bocs tun allan a'i roi wrth y lle y byddai'r trên yn stopio. Rhoes y tân wrid i'w hwynebau, a theimlent yn gysurus heb feddwl am y trên. Carasai'r tad i'r gorsaf-feistr fyned allan er mwyn iddo gael siarad yn rhwydd gyda'i fab.

'Ydi'r posciard gen'ti yn saff?'

Tynnodd Dafydd ef o boced ei gesail.

'Cofia'i bostio fo cynta y cyrhaeddi di.'

'Dim peryg imi ei anghofio.'

'Mae hi'n braf arnoch chi,' meddai'r gorsaf-feistr, 'mi gwelwn chi'n ôl ymhen tipyn wedi gwneud ffortiwn.'

Yr oedd Dafydd yn rhy ddigalon i ddadlau, dim ond dweud, 'Mae yna bethau heblaw arian.'

'Ia, ond rhaid 'u cael nhw.'

'Rhaid,' meddai'r tad, 'piti bod rhaid mynd mor bell i nôl nhw.'

'Tw, mae'n werth mynd allan i weld y byd yn lle aros mewn rhyw dwll o le fel hyn ar hyd ych oes.'

Twll reit braf ydi twll efo'i deulu a'i ffrindiau, meddyliai Dafydd.

Daeth sŵn eto, sŵn olwynion araf, mesuredig, – y sŵn

olaf. Lluchiwyd y bocs tun i'r fan; clepiwyd y drws a drws y cerbyd, ac nid oedd yn ddrwg gan Dafydd weld ei gau. Chwifiodd yn hir ar ei dad, a throes y tad ei gefn pan ddiflannodd mwg y trên o dan y bont.

Yr oedd yr awyr yn lasach erbyn hyn a heidiai sêr yn sydyn iddi, y naill ar ôl y llall. Yr oedd y tai i'w gweld hefyd a'r goleuadau ynddynt yn glir ac yn grwn. Rhoddai ambell chwarelwr ei ben allan trwy'r drws i edrych ar y tywydd.

'Pryd y cyrhaeddith o?' gofynnodd y gyrrwr.

'Tuag amser twllu.'

'Cyn gynted â hynny. Faswn i'n meddwl na fasa fo ddim yn cyrraedd tan 'fory.'

'Nid efo brêc mae o'n mynd.'

Rhoes y gyrrwr ei ên tu mewn i goler ei gôt, ac ni ddywedodd ddim weddill y daith.

Penderfynodd Elis Hughes fynd i lawr wrth Dŷ'n y Gamfa ryw hanner milltir cyn cyrraedd ei dŷ ei hun, i gael gair efo Wiliam. Yr oedd arno eisiau siarad efo rhywun cyn mynd adre at ei wraig i gael edrych ar y gwahanu o ryw safbwynt arall.

Yr oedd y drws yn agor pan gyrhaeddodd a chlywai oglau cig moch yn ffrïo.

'Yr oeddwn i'n ych clywed chi'n dŵad, mae gen i damaid o frecwast i chi. Mae Owen newydd gychwyn i'r chwarel. Mi clywis i chi'n pasio gynnau hefyd, ond waeth gen i weld cnebrwng yn pasio na gweld rhywun yn pasio ar i ffordd i'r Sywth. Sut oedd Meri cyn iddo fo gychwyn?'

'Digon digalon oedd hi, ond mae rhywun yn gorfod dal pob dim. Mae'n anodd dallt y drefn.'

' 'Does dim trefn, ond y drefn wnawn ni ohoni hi. Na, nid y ni, ond beth mae'r bobol fawr gyfoethog yna yn i wneud ohoni hi. 'Dydyn' nhw ddim yn mynd i'r Sywth i chwilio am waith. Maen' nhw'n dal i ddŵad i'r chwarel yn i clos carrej.'

'Ydach chi'n cofio blwyddyn gyntaf y ganrif yma, Elin, fel yr oedden ni'n edrach ymlaen at ddyddiau gwell am i bod hi'n ddechrau canrif, a dyma ddeuddeng mlynedd ohoni wedi mynd, ac os rhywbeth, gwaeth ydi hi arnon ni?'

' 'Dwn i ddim pam yr oedd yn rhaid inni edrach ymlaen o fanno nag o ryw flwyddyn arall. Mae hi'r un fath ar ddydd Calan a dydd penblwydd – dymuno'n dda i'n gilydd a phethau ddim yn dŵad ronyn gwell. Ond rhaid inni ddal i obeithio neu mi awn i'r ddaear.'

' 'Dwn i ddim ydyn ni rywfaint gwell wrth fyw ar wahân fel y bydd Dafydd a ninnau rwan, a bod yn anhapus, dim ond er mwyn cael dweud yn bod ni'n fyw. 'Rydym ni'n mynd trwy fywyd heb i fyw o, am yn bod ni'n disgwyl rhywbeth gwell o hyd.'

Yr oedd Elis Huws yn mynd yn hollol anffyddol weithiau, tonnau o anffyddiaeth yn llifo drosto ac yn mynd yn ôl, gan adael traeth crychlyd, gwlyb ar eu holau. Hwnnw yn sychu ac yn esmwyth i gerdded arno pan ddeuai ei ffydd yn ôl.

' 'Rydw i'n flaenor rwan, ers chwarter canrif,' aeth ymlaen, 'a wir rhaid imi ddweud y bydda i'n colli fy ffydd yn lân weithiau wrth geisio dallt y drefn.'

'Wel, Elis, rhaid i chi gofio bod ffydd a diffyg ffydd yn perthyn yn agos iawn i'w gilydd; dwy ddolen nesa' at i gilydd mewn cadwyn ydyn' nhw.'

Edrychodd Elis Huws arni yn eistedd yn ei chadair fel rhyw broffwydes, yn edrych arno ef yn bwyta ac yn troi ei bodiau oddi amgylch i'w gilydd. Tybed a oedd hi'n siarad o brofiad? Nid oedd yr un o'i phlant hi yn ddigon hen i adael cartref eto. Yr oedd eu sgidiau â'u trwynau i fyny ar ochr y ffender yn disgwyl iddynt godi. Bu clocsiau ei blant yntau felly ar un adeg. Cyn lleied o flynyddoedd oedd er hynny!

Wrth edrych ar y sgidiau, meddai, 'Dydyn nhw'n gwybod dim beth sydd o'u blaenau. Ond mi'r ydyn ni'n cael gwybod wedi iddo fo ddŵad yn ffaith.'

'Mi ddaw hynny'n ddigon buan iddyn' nhwthau.'

'Mae o wedi dŵad i mi.'

'Dim ond rhan ohono fo, Elis. 'Wybod ar y ddaear beth ddaw eto. Ella y bydd y rhan nesa yn oleuach. Ond mi'r ydw i'n credu y bydd yn rhaid i rywbeth mawr iawn ddigwydd, rhyw ffrwydriad, cyn y daw hi'n oleuach yn y chwareli yma.'

Y geiriau olaf hyn oedd ar feddwl Elis Huws pan edrychai ar dwll y chwarel yn ddiweddarach, a gweld y dynion fel pryfed mân yn crogi ar ysgolion wrth raffau. Pryfed oeddynt yn sicr yn y drefn oedd ohoni.

Chwarddai a phlefiai'r rhan fwyaf yn y caban adeg cinio. Ni chymerodd neb arno fod Elis Huws yno heb ei fab, ond ni siaradai fawr neb, ac eithrio'r bobl ifainc, a oedd yn pryfocio'r naill y llall ynghylch helyntion caru nos Sadwrn, fel y byddent ar fore Llun. Ni pheidient byth â phryfocio Bob Jones, y diniweitiaf yn eu mysg, a hynny'n greulon, am na châi ef byth gariad.

'Mae gen ti siawns dda i gael cariad rwan, yr hen Fob,' meddai un ohonynt, 'wedi i Dafydd Huws fynd i'r Sywth. Mi gei i redeg o rwan efo Alis, rhaid iddi gael rhywun i'w chadw hi'n gynnes.'

'Taw,' gwaeddodd Elis Huws, 'nid hogan felna ydy Alis; mae hi'n rhy driw o lawer.'

Daeth planced o ddistawrwydd dros y caban, ac yn ei ganol dyma Lias Roberts, Fronlas, yn dweud yn ddistaw, 'Blwyddyn i heddiw y lladdwyd fy hogyn i yn yr hen dwll yna.'

Petai'n bosibl i ddistawrwydd fynd yn ddistawach y munud hwnnw, fe aethai. Cerddodd pawb allan fesul un, ar ôl mwmian rhyw air o gydymdeimlad, a gadael dim ond Lias Roberts ac Elis Huws ar ôl.

'Mae o'n fyw genti, Elis,' meddai Lias Roberts, a dyna'r cwbl.

Wedi mynd adre'r noson honno cafodd Elis Huws y cwestiynau a ddisgwyliai gan ei wraig. Sut yr oedd Dafydd cyn cychwyn; tybed a oedd o'n siŵr o bostio'r cerdyn? Yr oedd wedi osgoi'r cwestiynau hyn wrth fynd yn syth at ei waith o dŷ Elin Wiliam. Nid oedd eu cael rwan yn ymannu cymaint arno wedi iddo gael ffrwydro yn y chwarel ac wedi taranfollt Lias Roberts. Teimlai'n well o lawer.

'Blwyddyn i heddiw y lladdwyd Rhisiart Lias Roberts,' meddai wrth ei wraig.

'Oes cymaint â hynny? Druan â nhw, dim ond yr un oed â Dafydd.'

Synfyfyriodd beth.

'Elis, tyd, brysia fwyta. Mi awn ni yno i edrach amdanyn' nhw. Mi wneith les o boptu.'

Ymhen hanner awr yr oedd y llusern â'u tywysai yn taflu ei goleuni symudol ar y ffordd gan wneud patrwm o gwafers, a rhyw sbonc afieithus yn eu cerddediad wrth fynd i dŷ Lias Roberts.

* * * *

Wedi i'r trên gychwyn, caeodd Dafydd ei lygaid. Yr oedd yr ymwahanu wedi bod yn hir a diflas, a da oedd ei weled drosodd. Carasai gael cysgu weddill y daith, a pheidio â gadael i'w feddwl grwydro nac yn ôl nac ymlaen. Ni welai ddim trwy ffenestr niwlog y trên. Gwyddai fod ei hen ardal ar lethrau'r bryniau yn beth pell a dieithr wedi ei gadael fel hyn. Ond nid oedd arno eisiau gweld. Er hynny, rhwbiodd y gaenen niwl â'i law ac edrych i'w chyfeiriad. Nid oedd yno ddim ond llwydni a sbotiau melyn arno, fel brech ar wyneb dyn, sbotiau'r goleuadau bach diniwed. Caeodd ei lygaid drachefn a dechrau meddwl: âi ei feddyliau o gwmpas yn gylch a dychwelyd i'r un fan – cyflog bach neu ddim gwaith o gwbl, pwyso ar ei deulu a phoeni, neu ynteu fynd i ffwrdd i chwilio am waith; bod neu fyw, byw neu fod. Yn y diwedd daeth y glorian i lawr ar yr ochr gadael cartref. Ceisiai gofio am y llu o ddynion ifanc oedd wedi gadael cartref er dechrau'r ganrif; rhai i'r De fel ef, rhai i'r Merica: rhai yn dyfod yn ôl am iddynt fethu ymgartrefu o hiraeth: y lleill yn dyfod yn ôl am dro ymhen tipyn gydag aur yn eu dannedd a thopcotiau hyd at eu traed, llediaith yn eu siarad, pob arwydd eu bod yn dyfod ymlaen yn y byd. Cuddio hiraeth oedd hynny hefyd, efallai. Yr oedd yn well ganddo ef y dosbarth cyntaf a dorrodd eu calonnau a dyfod adref yn fuan.

Ni allai anghofio wyneb Alis neithiwr wrth ffarwelio; yr oedd ei llygaid yn loyw gan obaith, yn dyheu heb ofn am gael dyfod ato i'r De ac ymsefydlu yno. Wrth feddwl am hyn aeth ei galon yn glwt o rew; nid mynd i'r De i ymsefydlu yr oedd ef, ond mynd yno gan feddwl cael dychwelyd. Eithr plentyn amddifad oedd Alis yn gweini mewn ffarm galed am bumpunt yr hanner tymor. Ni fyddai'n rhaid iddi hi dynnu'n galed wrth y gwreiddiau petai hi'n cychwyn i ffwrdd; ei nefoedd hi fyddai ail gychwyn mewn rhywle newydd. Y bore hwnnw yn ei wely yn y daflod, â'i drwyn bron wrth y to, yr oedd bron wedi newid ei feddwl ac aros gartref, wrth styried na châi eto fynd i lawr yr ysgol i'r gegin gynnes, molchi yn y cefn, a chael brecwast ar yr aelwyd loyw gysurus.

Wrth i'r trên redeg hyd lan y môr dechreuodd oleuo; y cymylau'n hongian fel llarpiau o sach igam-ogam uwchben y môr llwydlas oer, a hwnnw'n goleuo hyd i'r ewyn ar fin y tywod. Daeth arno eisiau bwyd; yr oedd ganddo becyn o frechdanau yn ei boced wedi i'w fam eu torri, rhoi lliain gwyn amdanynt fel cas llythyr a rhoi pin ddwbl o'i siôl bach i'w sicrhau. Yr oedd arno ofn ei agor. Yn y pecyn yr oedd ei gartref a phopeth a gynrychiolai. Ynddo yr oedd y llinyn a'i daliai wrtho; y peth hwnnw a'i tynnai'n ôl gyda phlwc; y peth oedd wedi ei ddal ar hyd y blynyddoedd ac a roddai gymaint o boen iddo wrth roi plwc y ffordd arall er mwyn torri'n rhydd. Gwyddai, dim ond iddo agor y pecyn, y byddai'r peth yna, y cwlwm, yno yn y frechdan. Yr oedd y gwreiddiau wedi turio i lawr yn ddwfn, ac yn blaguro'n hiraeth ar y brig. Pan gynigiodd cyd-deithiwr frechdan iddo, bu'n rhaid iddo wrthod ac agor ei becyn ei hun. Yr oedd ôl bodiau ei fam ar y brechdanau, a bu agos iddynt ei dagu.

Awr gyfan o aros ar Gyffordd y Ffos. Nid oedd sirioldeb yn y wlad o gwmpas yno ychwaith, er bod y ddaear yn lasach. Ffermydd gwynion anaml yn edrych yn oer yn eu pellter oddi wrth ei gilydd: anifeiliaid yn rhynnu wrth lidiart y buarth a chi yn cyfarth. Golwg raenus ar bopeth, ond nid oedd cynhesrwydd ardaloedd y chwareli yno iddo ef. Daeth y trên i mewn heb frys na theithwyr. dechreuodd ei feddwl symud rwan; buasai mewn llain galed, ddihitio ers oriau. Dyma'r newid dwaetha; byddai ei gyfaill, Dan, yn ei ddisgwyl ar stesion ei le newydd, a daeth rhyw ddisgwyl i'w galon. Rhoes ei law yn ei boced i edrych a oedd y cerdyn yn ddiogel; yr oedd bron wedi ei anghofio.

Rhedai'r trên yn gyflym, ac yn sydyn daeth o noethni'r wlad i ganol miloedd o dai; rhesi ar ôl rhesi; tomennydd tywyll, simneiau uchel; sŵn tramiau'n cloncian yn drwsgl dros heolydd y tybiai ef eu bod yn llawn o bobl. Rhedai'r trên heibio i gefnau tai â goleuni llachar yn eu ffenestri: câi gip weithiau ar wraig yn smwddio wrth y ffenestr, neu blentyn wrth fwrdd yn gwneud ei dasg ysgol. Goleuid yr awyr yn y pellter gan dân ffwrneisi; yr oedd popeth yn fyw; yn ddigon byw i roi rhyw deimlad o beidio â malio dim yn neb ynddo; teimlad o hyder ac antur.

Yr oedd ei gyfaill ar y stesion, a'r peth cyntaf a ddywedodd wrtho oedd, 'Mae arna'i eisio rhoi'r cerdyn yma yn y post i ddweud mod i wedi cyrraedd.'

'Mae hi'n rhy hwyr,' meddai ei gyfaill, 'mae post y North wedi mynd ers dau o'r gloch. Rhaid iti aros tan bore 'fory. Mi gei ddweud wedyn sut y cysgaist di, a sut un ydi gwraig y tŷ.'

Edrychodd Dafydd ar y cerdyn. Daeth picell o boen iddo wrth feddwl am siom ei rieni fore trannoeth o beidio â'i dderbyn. Yna sylweddolodd y byddai'n rhaid i'r cerdyn deithio'r holl ffordd a deithiasai ef heddiw. Aeth yn ddiymadferth a di-feind. Yr oedd aelwyd ei dad a'i fam ymhell, ac ni fedrai'r cerdyn rychwantu'r pellter hwnnw. Gallai fynd yn ôl efo'r cerdyn, ond i beth? Yr oedd y daith wedi gadael y chwarel a'i gartref ar ôl, efallai am byth.

Pan agorodd Dan ddrws ei lety, y peth a drawodd Dafydd gyntaf oedd golau llachar y lamp nwy a grogai o'r to; dallodd ef am funud.Yna wyneb siriol y wraig lety.

'Dowch 'mlan 'nawr, rhaid bod ishe bwyd ofnadwy arnoch chi; mae gyda fi bysgodyn i chi ac mae'r *chips* bron â bod yn barod. Tynnwch ych cot a gwnewch ych hunan yn gartrefol.'

Nid oedd eisiau cymell; eisteddodd wrth y bwrdd glân, gyda'i doreth bwyd, a'r goleuni yn disgyn ar y gwynder.

1969

# Y Llythyr

Prynhawn Sadwrn ym mis Tachwedd 1917, mewn llety yn Lerpwl. Eisteddai Dic, Ifan, a Wil wrth y bwrdd yn sgrifennu llythyrau. Eisteddai Wmffra wrth y tân, ei ên ar ei wasgod, a'i ddwylo yn ei bocedi, ei draed dan y gadair a'i lygaid ar ffyn y grât, yn edrych rhyngddynt i'r tân a thrwy'r tân i dŷ bychan mewn pentref bychan yn Sir Gaernarfon. Oddi allan yr oedd mwrllwch Tachwedd, oddi mewn cegin lân, cyn laned ag y gadawai mŵg tref a phryfed swrth yr hydref iddi fod. Yr oedd yn gegin eithaf cysurus, mor gysurus ag y gallai llawer o heyrn tân ar aelwyd ei gwneuthur. Yr oedd gan y tân ei hun gryn dipyn o orffennol a pheth dyfodol, ac yn y canol rhwng ei orffennol a'i ddyfodol gwelai Wmffra weledigaethau. Gwelai ei gegin ei hun gartref, heb fod lawn mor dwt â hon, eto cyn dwtied ag y gadawai chwech o blant a dau filgi a thywydd gwlyb iddi fod; dim heyrn o flaen y tân, ond stôl bren isel hir, y gallech ddodi eich traed arni heb ofni clywed pregeth gan eich gwraig, a'ch dau ben glin ar ddannedd y grât. Yr oedd Ann, ei wraig, wrthi'n golchi'r llestri ganol dydd Sadwrn, Robin y plentyn lleiaf yn tynnu yn ei barclod a hithau'n gweiddi 'Paid.' Gweiddi ar Meri'r eneth hynaf i'r tŷ wedyn, iddi redeg ar neges i'r siop, Meri'n rhy fyddar i wrando ac yn dal i chwarae drwy gortyn. Ann yn gwylltio ac yn gweiddi digon i bobl y drws nesaf ei chlywed, a Meri o gywilydd yn dyfod i'r tŷ. Sam a Bob, y ddau filgi'n eistedd un o bobtu Wmffra yn edrych dan eu cuwch arno gystal â dywedyd,

'Tyrd yn dy flaen am wnhingan.'

Wedyn Wmffra'n codi, ac yn mynd i'r cefn am y ddwy ffured.

' 'Rydw i am fynd am ryw wnhingan ne ddwy at yfory, Ann,' ebe fe. Cychwyn dan chwibanu'n hapus, er ei bod yn brynhawn Sadwrn ar ôl nos Wener tâl, y noson fwyaf anghysurus yn y mis i Wmffra, pan fyddai arno ofn rhoi ei gyflog i Ann gan ei leied. Nid bod Ann yn un o'r merched hynny a fydd yn rhygnu ac yn rhincian ar nos Wener tâl. Ond rywsut byddai Wmffra'n lled anghysurus nes dyfod o Ann adref o'r siop. Os byddai golwg hapus ar wyneb Ann, yr oedd hynny'n braw o serchogrwydd gŵr y siop, a byddai Wmffra'n hapus wedyn, hyd y nos Wener tâl nesaf. Un o'r prynhawnau Sadwrn hynny a welai Wmffra yn y tân yn Lerpwl yn awr, pan fyddai ei ddedwyddwch ar ei uchaf, oherwydd gwên gŵr y siop, a'i bellter yntau oddi wrth y nos Wener tâl nesaf. Wedyn cychwynnai efo Sam a Bob, ei ddwylo yn ei bocedi, a blew esmwyth y ddwy ffured yn eu goglais, a'r ddau filgi wrth ei sawdl.

'S'mai, Wmffra?' ebe hwn ac arall ar y ffordd. Ni ofynnai neb iddo i ba le'r âi. Yr oedd yr ateb yn y ddau gi.

Wedyn gadael y ffordd a chroesi ffridd Foty'r Wern, Sam a Bob a'u trwynau'n dyn wrth y ddaear, a llygaid Wmffra'n gwibio mwy i'r dde a'r chwith nag oeddynt. Yna mynd trwy gae, Sam yn cerdded tu ôl i Fob, a Bob tu ôl i Wmffra, yn drindod o'r un meddwl. Tros y gamfa fel tri milgi i Gae'r Boncan ac eistedd i lawr am dipyn. Yna gollwng y ffuredau a thri phâr o lygaid yn edrych i'r un cyfeiriad. Dyma'r gynffonwen allan, ac ar amrantiad, Sam yn ei gwar. *'Well done, boy,'* ebe Wmffra dan ei anadl ar ei gadair yn Lerpwl, gan fygwth neidio oddi arni. Ond cofiodd fod ei ddwylo yn ei bocedi a'i draed dan y gadair, ac fe'i sadiodd ei hun yn ôl.

'Tyrd ona di, i bendwmpian, Wmffra,' ebe Dic.

'Ia,' ebe Ifan, 'sgwenna adra at dy wraig, ne mi feddylith dy fod ti wedi marw.'

'Dim peryg yn y byd,' ebe Wmffra, 'mi fasa'n haws gin Ann gredu 'mod i wedi marw taswn i *yn* sgwennu.'

'Oes yna âits yn "angerddol"?' gofynnai Wil a ysgrifennai at ei gariad.

'Nag oes,' ebe Ifan dan lyfu cas llythyr.

'Oes,' ebe Dic.

'Ma hi'n siŵr o ddallt be wyt ti'n feddwl pe taet ti'n rhoi pymthaig âits yn'o fo,' ebe Wmffra.

'Gin dy fod ti mor siŵr,' ebe Ifan, 'tyrd at y bwr' yma a sgwenna at Ann.'

'Na 'na i,' ebe Wmffra yn yr un dôn ag yr etyb hogyn anufudd ei fam.

'Ma Ann yn siŵr o ddallt ma gweithio ar ôl yr oeddwn i'r pnawn yma, ac ma' dyna sydd wedi fy rhwystro i adra heddiw. Go drapia'r hen weithio ar ôl yna.' Poerodd i lygad y tân.

Ar y ffordd haearn yn Lerpwl y gweithiai'r pedwar, a chaent diced rhad i fynd adref efo'r trên bob tair wythnos. Gan fod tair wythnos yn llai na mis, a chan na theimlai Wmffra'n anghysurus bellach wrth gyflwyno'i gyflog i Ann, nid anfonai ei gyflog adref bob wythnos fel y gwnai Dic ac Ifan, eithr cai Ann gyflog tair wythnos bob tro'r âi ef adref, ac ni thrafferthai'r un o'r ddau i ysgrifennu at ei gilydd yn y cyfamser.

Ni welsai'r un o'r hogiau mo Wmffra'n ysgrifennu erioed. Ond ni ddaethai'r gwir, na allai efe ysgrifennu o gwbl, erioed ar draws eu meddwl. Ped aethant i'r un ysgol ag ef yn blentyn, efallai y gwybuasent. Nid oedd Wmffra ond rhyw bymtheg ar hugain oed, a dylai dyn pymtheg oed ar hugain yn 1917 allu ysgrifennu pwt o lythyr, beth bynnag. Gallai Dic ac Ifan, oedd o'r un oed ag ef, wneuthur hynny'n rhugl. Er bod y pedwar yn gweithio yn yr un chwarel cyn y Rhyfel, nid aethant i'r un ysgol yn blant. Gwyddai'r tri arall y gallai Wmffra wneuthur ei gownt ar ben mis cystal â'r un athro a wisgodd sbectol erioed. Ond gallai'r hen William Jôs, a dynnai am ei bedwar ugain, wneuthur ei gownt heb roddi dimai'n ormod ym mhoced cwmni'r gwaith nac yn ei boced ei hun, mewn ffordd a yrrai rifyddwyr yr oes hon i wasgfeuon. Eithr ni ddaeth i'w meddwl erioed osod Wmffra ar yr un tir â hen bobl.

Modd bynnag, ped aethant i Ysgol Pen Ffordd Wen gydag Wmffra, fe wybuasent i bob athro yn yr ysgol honno roddi pob gobaith i fyny am ddysgu i Wmffra ysgrifennu. Ni allasai Gabriel ei hun wneuthur hynny, a chaniatau bod Wmffra yn yr ysgol bob dydd, a chaniatau bod Gabriel cystal athro ag yw o angel. Ar gyfnodau y deuai Wmffra i'r ysgol, cyfnodau rhwng cyfnodau chwarae triwant. Ni wn yn iawn pa un o'r ddau gyfnod a fyddai'r hwyaf, ond tystiai Eos Twrog, y plismant plant, i Wmffra dreulio mwy o'i amser i eistedd ar dorlan wrth afon Gwylif nag a wnaeth erioed ar feinciau ysgol Pen Ffordd Wen.

'Rwan, tyrd yn dy flaen,' ebe Dic, 'sgwenna at Ann, a phaid â bod mor bengalad. Mi sgwenith Wil y drecsiwn fel coparplât iti.'

Meddyliai Dic efallai mai blerwch ysgrifen a gyfrifai am fywyd di-lythyr Wmffra.

'O'r gora,' ebe Wmffra, rhag bod yn llai na dyn, a rhoddodd dro cyndyn yn ei gadair. Ysgrifennodd Wil y cyfeiriad ar gas llythyr ac estynnodd bapur a phensel i Wmffra. Wedyn aeth i'r llofft i newid, ac yr oedd y ddau arall yn ddigon call i fynd i ben eu helynt a gadael Wmffra wrtho'i hun i wneuthur y defnydd gorau a allai o'i bensel a'r papur, ac i wneuthur yr hyn a wna llawer wrth ysgrifennu llythyr, sef rhoddi ei enaid ar bapur.

Bore dydd Llun eisteddai Ann gwraig Wmffra wrth y tân, newydd orffen hwylio'r pum plentyn hynaf a'u gyrru i'r ysgol. Yr oedd hynny'n gymaint gorchwyl fel na welai fai arni hi ei hun am gymryd sbel cyn gwisgo am Robin, y plentyn ieuengaf, a chwaraeai efo'r gath ar yr aelwyd. Yr oedd arni eisiau tipyn o amser iddi hi ei hun hefyd, i synfyfyrio paham na ddaethai Wmffra adref nos Sadwrn. Dyma'r tro cyntaf i hyn ddigwydd er pan oedd yn Lerpwl.

Yn sydyn dyma gnoc ar y drws, a neidiodd ei chalon i'w gwddf pan ganfu mai'r postman oedd yno â llythyr iddi hi. Pan welodd farc post Lerpwl, gwelwodd ei hwyneb, a meddyliodd yn sicr i rywbeth ddigwydd i Wmffra. Gwelodd filoedd o bethau yn yr eiliad honno, a'r peth amlycaf o'r cwbl oedd trên yn mynd dros Wmffra. Modd bynnag, medrodd agor y llythyr rywfodd, a newidiodd mynegiant ei hwyneb yn hollol. Ni allech ddywedyd beth oedd am ddigwydd. Crychodd ei thalcen, agorodd ei llygaid led y pen, yna daeth cil gwên i gonglau ei genau. Ond y funud nesaf yr oedd yn wylo dros y tŷ. Yn ei llaw yr oedd dalen bapur, ac ar ei chanol, ddarlun eglur wedi ei dynnu efo phensel o filgi yn gafael yng ngwar cwningen. Nid oedd na gair na llythyren ar y papur dim ond y darlun. Ail chwilotodd y cas, rhag ofn. Na, nid oedd ynddo bwt o ysgrifen. Wylodd y fam yn hir. Methai Robin â deall paham yr wylai. Methai'r fam ei hun â deall paham. Eisteddodd ar y gadair a gollyngodd y papur ar lawr.

Cipiodd Robin y papur, a rhedodd y gath am ei rhyddid a'i heinioes.

Cyn gynted ag y disgynnodd llygaid Robin ar y darlun o'r milgi a'r gwningen, gwaeddodd:

'W-w-tada!' a chan dynnu ym marclod ei fam, 'Mami, tada w-w-!!'

1923

# Y Condemniedig

Efô a ofynnodd i'r doctor, ac erbyn hyn yr oedd yn edifar ganddo. Ni wyddai beth a wnaeth iddo ofyn a mynnu cael gwybod. Nid gwroldeb yn sicr, oblegid carai fywyd ac ofnai farw. Yr oedd arno ofn diddimdra marw. Pan ddywedodd y doctor ei fod yn cael mynd o'r ysbyty ymhen deng niwrnod ar ôl mynd yno, trwy ryw ddeddf groes, am fod arno ofn cael gwybod y gwaethaf, pwysodd Dafydd Parri arno i gael gwybod pam. Pan glywodd fod ei achos yn anobeithiol, fod y tyfiant o'r tu mewn iddo wedi mynd yn rhy ddrwg – pe cawsai'r doctor afael arno ddwy flynedd yn gynt – fe gerddodd rhyw deimlad diddim i lawr ei gorff o'i ben i'w draed..Pan ddaeth ato'i hun, gresynai na chawsai farw yn y teimlad hwnnw.

Yr awydd cyntaf a ddaeth wedyn oedd cael mynd adref at Laura. Y syndod oedd iddo fedru meddwl o gwbl. Sut yr oedd yn medru anadlu? Sut yr oedd yn medru cerdded na dim wedi clywed y fath newydd? Sut y medrodd gysgu'r noson honno? Ac eto, fe gysgodd. Yr oedd ei daith adref drannoeth yn waeth na hunllef: yr oedd yn nes i wallgofrwydd. Mor wahanol i'r daith i Lerpwl ddeng niwrnod cyn hynny! Yr oedd ganddo obaith, y pryd hwnnw, er bod ofn arno. Un elfen o bleser a oedd yn ei daith yn ôl. Adre yr oedd yn mynd, ac nid oddi cartre. Y wanc am gyrraedd gartref a'i gyrrai bron yn wallgo pan arhosai'r trên am amser hir mewn stesion. Tybiai fod ei ymennydd wedi cymysgu, ond y byddai'n iawn eto wedi cyrraedd gartref at Laura. Ie, bron na ddywedai y byddai popeth fel cynt, y byddai ef ei hun yn union yr un fath, heb y wybodaeth a gafodd gan y doctor. Dyna'n hollol y teimlad a gafodd pan glywodd y newydd, rhywbeth yn ei lenwi a'i lethu. Byddai'n teimlo'n rhydd, braf, wedi cyrraedd gartref, a chanddo'r un gobaith ag a oedd ganddo gynt, a'r ymweliad â Lerpwl a dedfryd y doctor yn ddim ond breuddwyd.

Yn y cyfamser, buasai Laura hithau yn gweld eu doctor hwy eu hunain. Cawsai hwnnw ddedfryd y doctor o Lerpwl, ac er mwyn dangos ei glyfrwch i Laura, dywedodd wrthi'n blwmp nad oedd wella i'w gŵr, a bod barn y *specialist* yn hollol yr un fath â'i farn yntau. Effeithiodd y newydd ar Laura'n wahanol i'w gŵr. Aeth hi'n ystyfnig, ac ymwylltiodd, a dywedodd ynddi ei hun mai ychydig iawn oedd gallu doctoriaid, ac unwaith y câi hi Dafydd i'w gafael y mendiai *hi* o.

Pan welodd Dafydd, nid oedd mor sicr. Tybiai y gallai'r doctor fod yn iawn. Ond buan yr aeth y teimlad yna i ffwrdd. Erbyn bore trannoeth, un ai fe wellaodd Dafydd ychydig yn ei olwg, neu fe ledrithiwyd ei wraig i feddwl mai fel yna'r oedd cyn mynd i ffwrdd. Fe gafodd hi, beth bynnag, y gred eto'n ôl mai bodau ffaeledig yw doctoriaid, ac fe droes hynny'n obaith iddi ei hun – yr unig beth a'i cadwodd i fynd ymlaen fel cynt a derbyn bywyd yn ei ansicrwydd.

Daeth Dafydd adref fel dyn euog yn dyfod o'r carchar. Nid oedd arno eisiau gweld neb, ac nid oedd arno eisiau i neb ei weld yntau. Edrychai cegin Bron Eithin fel y byddai ar ddydd Sul weithiau, neu ar ddiwrnod cynhebrwng rhywun, pan ddisgwylid pobl ddieithr i de, y llestri gorau ar y bwrdd, a rhyw daclusrwydd Sabothol ar bopeth, er mai dydd Mercher ydoedd; a Laura yn ei blows orau a'i barclod gwyn fel petai hi'n gweini wrth ben bwrdd mewn Cyfarfod Misol. Nid i Fron Eithin nos Fercher y daeth Dafydd Parri, ond i ryw Fron Eithin ddieithr.

Bore trannoeth, sŵn ei ddau fab yn siarad yn ddistaw gyda'u mam wrth fwyta eu brecwast a'i deffroes. Ni fedrai ddiffinio ei deimlad. Peth croes iawn oedd hyn, oblegid byddai ef yn nes i'r chwarel nag i'w dŷ pan fwytâi'r hogiau eu brecwast. Eto yr oedd yn braf cael bod gartref a deffro'n hamddenol, yn hytrach na bod yn yr ysbyty, lle deffroid dyn yn sydyn o gwsg braf am hanner awr wedi pump. Wedi i'r hogiau gychwyn, ac i sŵn heglu'r llusgwyr olaf ymhlith y chwarelwyr ddarfod ar y ffordd, brathodd Laura ei phen heibio i ddrws y siambr.

'Ydach chi'n effro?' ebr hi. 'Mi fûm i yma o'r blaen, ond 'roeddach chi'n cysgu'r adeg honno. Ddaru chi gysgu'n o lew?'

'Do, reit dda,' meddai yntau, ac yn falch o gael dweud hynny wrth Laura ac nid wrth y nyrs.

'Mi ddo' i â phaned o de i chi 'rwan,' meddai hi'n llawen; a chyn pen dim yr oedd hi'n ôl a phaned o de a brechdan grasu ar hambwrdd. Arhosodd yno tra fu'n bwyta.

'Oes blas arno?' meddai hi.

'Mae o'n dda iawn,' meddai yntau, gan edrych allan drwy'r ffenestr i'r cae. Ac fe fwynhaodd ei frecwast yn fawr.

Y diwrnod cyntaf hwn wedi dyfod adre, teimlai ar hyd y dydd nad oedd dim neilltuol wedi digwydd, a'i fod yntau gartref megis ar ddydd Sul, ond bod pawb arall yn gweithio. Yr oedd yn falch o gael bod gartref gyda Laura, yn lle bod yng nghaethiwed yr ysbyty. Y diwrnod hwn, yr oedd fel carcharor y diwrnod cyntaf wedi dyfod allan o'r carchar, yn falch o'i ryddid, a heb fedru edrych i'r dyfodol o lawenydd bod yn rhydd. Yr oedd y doctor yn Lerpwl a'i ddedfryd ymhell ac yn bethau disylwedd. Yr oedd popeth yn iawn wedi cael dyfod i Fron Eithin ac at Laura.

Ond wedi diwrnod neu ddau fe ddaeth Dafydd Parri yn ôl ato'i hun, y Dafydd Parri a oedd yn bod pan weithiai bob dydd yn y chwarel, cyn mynd ohono i'r ysbyty, a dechreuodd wingo, os gwingo y gellir galw anfodlonrwydd dyn sâl. Cyn mynd i Lerpwl teimlai'n bur gryf, er bod ganddo boenau. Yr oedd yn wannach erbyn hyn, ac yr oedd ei anfodlonrwydd yn fwy o hiraeth nag o wingo.

Yr oedd yn galed arno orfod aros yn ei wely, a gwrando ar ei gyfeillion yn mynd i'r chwarel. Clywai hwynt yn dringo'r allt heibio i dalcen ei dŷ, gyda'u cerddediad trwm, araf, a sŵn isel y bore glas. Clywai hwynt drachefn gyda'r nos gyda'u cerdded cyflym, mesuredig, a'u lleisiau uchel, llawen. Yn nyddiau chwarel, byddai'r drafodaeth heb ei gorffen yn aml pan drôi at ei lidiart oddi wrth ei gyd-weithwyr, ond peth caled oedd cael eich gadael allan o'r drafodaeth yn gyfan gwbl. Hiraethai am sgwrs efo'r hogiau yn y caban awr ginio. Jac Bach yn sôn am ei gŵn, a

Dafydd bengwar am ei ganeris. Difyrraf gan Dafydd oedd clywed Wil Elis, a oedd yn dipyn o borthmon, yn dweud hanesion y gallech fentro dweud am eu hanner eu bod yn gelwyddau. Ond dim ods; yr oedd celwyddau rhai pobl yn fwy diddorol na gwir pobl eraill. Ac yn y chwarel y câi bob newydd, gwir a chelwydd, am bobl. Ceid mwy o 'straeon' am bobl yn y chwarel nag yn y tŷ.

Yn awr yr oedd yn rhaid i Dafydd Parri droi ei draed yn y tŷ ac nid yn y chwarel. Aeth ei fyd yn gyfyng ac yn newydd. Tŷ iddo ef o'r blaen oedd tŷ ar ôl gorffen diwrnod gwaith, tŷ yn gynnes gan ddigwyddiadau diwrnod. Nid adwaenai ef, ac eithrio ar brynhawn Sadwrn a dydd Sul, ond fel lle i chwi ddychwelyd ar ôl diwrnod o waith i eistedd i lawr a bwyta ynddo a darllen papur newydd wrth y tân. Ac yr oedd tŷ felly'n wahanol i'r tŷ yr oedd yn rhaid iddo'i adnabod yn awr – tŷ yn mynd trwy'r gwahanol gyflyrau yr â tŷ trwyddo o bump y bore hyd ddeg y nos.

Deffrôi yn y bore a blas drwg ar ei enau gan amlaf. Clywai Laura'n chwythu'r tân, ac fel arfer yn y bore, ebychiadau'r fegin yn hir ac yn llawn. Clywai aroglau'r ffagl rug a ddefnyddid i gynnau'r tân, a gallai ddychmygu'r mwg gwyn, meddal, yn mynd i fyny'n dew trwy'r simnai. Toc, clywai Laura'n symud y tecell, a chlywai ef yn dechrau canu'n fuan wedyn, a hithau'n dyfod â chwpanaid o de a thamaid o frechdan iddo. Symudai lenni'r ffenestr, a byddai ar frys yn y bore felly. Gadawai ddrws y siambr yn agored, a gallai glywed yr hogiau'n siarad wrth fwyta eu brecwast. Gallai weld ychydig o'r gegin hefyd, ac wrth edrych arni dros erchwyn y gwely edrychai'n groes fel petai ef yn ei gweld mewn drych. Tua naw, wedi gorffen gyda'r gwartheg a'r moch, deuai Laura â sgotyn te bîff iddo, a byddai ganddi amser i eistedd ac ymdroi gydag ef y pryd hwnnw. Codai dipyn cyn cinio, a byddai carreg yr aelwyd newydd ei golchi, ac ymyl y llechen i'w gweld yn sychu'n llinellau. Byddai Laura'n gofalu cael aelwyd gysurus iddo bob dydd erbyn iddo godi.

Ymolchai Dafydd yn hamddenol a gofalus wrth godi. Yr oedd ganddo arferiad o roi'r lliain sychu rhwng ei fysedd, a sylwai fod ei ddwylo'n mynd yn lanach y naill ddydd ar ôl y llall, a bod y sêm o lwydni llwch chwarel yn diflannu oddi rhwng ei fysedd.

Ambell ddiwrnod byddai Laura wrthi'n pobi pan godai, a hoffai yntau weled y bara'n ailgodi yn y padelli haearn wrth y twll-dan-popty, a goleuni'r tân fel y deuai o'r twll yn taro ar y toes ac yn gwneuthur hanner cylch o oleuni arno, ac ambell golsyn poeth yn syrthio weithiau ac yn ei sefrio.

Byddai'r awyrgylch yn newid erbyn y prynhawn. Byddai'r tŷ i gyd yn lân, a byddai mwy o brysurdeb i'w deimlo yn yr awyr. Âi tawelwch y bore heibio, ac er mai tawelwch gwlad oedd yno, eto gellid teimlo mwy o sŵn yno hyd yn oed yn y prynhawn. Crefai Laura arno fynd am dro o gwmpas y caeau neu hyd y lôn. Ni byddai arno byth eisiau mynd.

'Ewch; mi wnaiff les i chi,' meddai Laura, a chredai hi hynny.

Fe âi yntau o dow i dow wedi taflu hen gôt dros ei war, fel y gwnâi weithiau wrth ddyfod o'r chwarel, a'i chau efo phin sach. Edrychai Laura ar ei ôl, a gweld un ysgwydd iddo'n codi'n uwch na'r llall oblegid y gôt, ac âi i'r tŷ dan ocheneidio. Ni byddai ganddo ef fawr o bleser i fynd am dro. Eisteddai ar bentwr cerrig mewn cornel cae o dan ddraenen i gysgodi rhag awel fain mis Ebrill, a gadawai i'r haul ddisgyn ar ei wyneb. Am y clawdd ag ef clywai'r fuwch yn pori'r gwair yn sych a chwta, a ffroenochi bob yn ail, a deuai aroglau ei ffroenau gwlyb drwy'r clawdd.

Rhoddai gwahanol gonglau caeau wahanol deimladau iddo. Gwnaent hynny bob amser. Heb ddim rheswm mwy na'i gilydd rhôi ambell gae y felan iddo, a chodai'r lleill ei galon. Ni wyddai pam. Yn wir, nid oedd reswm pam, dim ond ei dymer feddwl ef, ond bod y dymer honno'r un fath bob amser yn yr un cae. Osgôi'r caeau hynny'n awr. Yr oedd y ddaear yn galed a di-liw. Cerrig yn gymysg a lympiau o dail sych hyd-ddi. Byddai'n rhaid i rywun hel y cerrig, ond nid y fo. Er cased gwaith ydoedd, buasai'n dda ganddo gael gwneud eleni. Nid âi byth am dro i'r lôn os medrai beidio. Yr oedd pobl yn y fan honno, ac mae pobl yn holi cwestiynau nad oes ar ddyn sâl eisiau eu hateb.

Yn y tŷ gyda Laura yr hoffai fod. Ymhen tipyn aeth y tŷ a Laura'n rhan hanfodol ohono, fel yr oedd y chwarel gynt. Rhoes orau i holi ei feibion am hynt y chwarel. Pan ddôi ei gyfeillion yno i edrych amdano, rhôi sôn am y chwarel ormod o boen iddo ar y cychwyn. Ond yn raddol aeth ei ddiddordeb yn llai ynddi, a pheidiodd â holi. Daeth i gynefino â bod gartref.

Daeth i feddwl mwy am Laura. Tybed a wyddai hi ddedfryd y doctor? Nid oedd arno eisiau gofyn iddi, rhag ofn iddi drwy ryw arwydd fradychu'r ffaith ei bod yn gwybod. Buasai clywed y ddedfryd am yr ail dro, ac yn ei gartref ei hun, yn ormod iddo. Buasai'n gorfod mynd trwy'r un teimlad ag yr aeth drwyddo y tro cyntaf pan glywodd, ac yr oedd yn rhy lwfr i hynny. Ni theimlai mewn unrhyw ffordd yn y byd ynghylch dedfryd y doctor erbyn hyn. Gwisgasai cynhyrfiad y foment honno i ffwrdd, ac ni theimlai'n ddigon sâl ar hyn o bryd i ail fyw trwy'r foment honno nac i feddwl am ei ddiwedd. Yr oedd pleser mewn bywyd fel yr oedd yn awr. Cael cwpanaid o de efo Laura tua thri o'r gloch, ac ar ddiwrnod pobi cael teisen does a chyrraints ynddi yn boeth. Dywedasai'r doctor y câi fwyta unrhyw beth.

Tybed faint a wyddai Laura? Edrychai fel pe na wyddai ddim. Âi o gwmpas ei gwaith yn llawen fel arfer, a siaradai am bethau'r ffarm a phethau'r ardal gydag ef. Weithiau daliai hi'n edrych ar ei wyneb ac ar ei lygaid rhyngddi a'r golau, fel petai hi'n edrych ar ei liw. Daeth Laura'n nes ato ac i olygu mwy iddo nag y gwnaeth ers eu dyddiau caru. Yr oedd hi'n hogan bach dlws y pryd hynny, efo'i gwallt cyrliog gwinau, a wir, cariai ei hoed yn dda iawn 'rwan, er ei bod yn bymtheg a deugain, yr un oed ag yntau. Cofiai am yr adeg y gwelodd hi gyntaf, ddiwrnod ffair Glanmai, pan newidiai hi ei lle, a phan oedd yntau gyda'i dad yn y dre yn gwerthu buwch. Cofiai fel y gwirionodd amdani nes addawodd ei briodi. Âi i'w gweld bob cyfle a gâi, a gwelai hi ymhobman o flaen ei lygad trwy'r dydd. Wedi priodi aeth y tyddyn a threfnu byw â'u bryd yn gyfan gwbl, ac yn unol ag arferiad pobl wledig yn aml, tybient nad oedd eisiau dangos cariad ar ôl priodi. Byw yr oedd pobl ar ôl priodi, ac nid caru. Byddai hi ac yntau'n ffraeo weithiau, a chan nad oeddynt yn bobl nwydus deuent yn ffrindiau'n ôl mewn dull di-stŵr, didaro, drwy sôn am y moch neu'r gwartheg, ac nid eid yn ôl at achos eu ffrae. Ni byddai yno le nac amser byth, rywsut, i siarad yn gariadus. Byddai gwaith yn y caeau ar ôl dyfod o'r chwarel yn y gwanwyn a'r haf, a byddai cyfarfodydd diddiwedd yn y capel yn y gaeaf, ac nid oedd amser i ddim ond darllen papur newydd.

Rwan, yr oedd yn edifar gan Dafydd na roesai fwy o amser i sgwrsio efo Laura. Gymaint gwell fuasai erbyn hyn: buasai'r hynawsedd hwnnw'n aros iddi ar ei ôl, yn rhywbeth i'w gofio. Wrth edrych yn ôl ar eu bywyd, beth a oedd ganddynt? Dim ond rhyw fywyd oer, didaro, a chyrraedd uchafbwynt pleser pan geid mis go dda. Ni ddoent yn nes at ei gilydd pan geid cyflog bach. Yn wir, gwnâi mis gwan hwy'n ddisiarad ac yn ddidaro. Yr oedd am wneud iawn am y gorffennol rwan. Yr oedd am fwynhau bywyd gartref fel hyn efo Laura, am fynd am dro rownd Sir Fôn efo motor eu dau. Ni chrwydrasent fawr erioed ar ôl priodi. Disgwyl amser gwell o hyd, a gadael i fywyd fynd heibio heb weld y byd. Oedd, yr oedd hi'n braf yn y tŷ efo Laura. Carai edrych arni; gwyddai rwan, yr hyn na wyddai o'r blaen, faint o fotymau a oedd ar ei bodis, beth oedd patrwm ei hances frethyn, sawl pleten a oedd yn ei barclod. Piti na châi fod fel hyn am byth. Eithr dechreuodd sylweddoli hyn pan ddechreuodd ei boenau gynyddu. Ni allai fwynhau ei fwyd cystal; nid oedd gymaint pleser o edrych ar y bara'n codi wrth y tân, nac o glywed eu haroglau wrth grasu. Pan oedd ar fin colli peth, dechreuodd ei fwynhau. Gwelai Ha' Bach Mihangel ei salwch yn llithro oddi wrtho. Methodd godi erbyn cinio, a daeth arno hiraeth am y garreg aelwyd. Codai weithiau at gyda'r nos er mwyn medru cysgu'n well. Cynyddai'r poenau. Ni fedrai gymryd sylw o bethau o'i gwmpas. Deuai'r doctor yno'n amlach, a rhôi gyffuriau iddo i leddfu ei boenau. Âi yntau i gysgu, a byddai'n sâl a digalon ar ôl deffro. Âi i lesmair weithiau. Anghofiai bethau o'i gwmpas. Beth o'r ods a oedd ganddo am y doctor o Lerpwl erbyn hyn? Ei salwch a oedd yn bwysig, nid dedfryd y doctor. Nid oedd a wnelo'r ddedfryd ddim â'i salwch ef. Yr oedd ganddo ddigon i'w wneud i feddwl am ei salwch heb feddwl am yr hyn a ddywedodd y doctor yn yr ysbyty wrtho. Eisiau cael gwared o dipyn bach o'r poenau er mwyn cael sgwrsio efo Laura a oedd arno. Yr oedd hi wrth ei wely bob cyfle a gâi. Câi ambell ddiwrnod gwell weithiau, a chodai yn y prynhawn, ond ni fwynhâi ei de. Eithr ymhen tipyn fe aeth na fedrai godi o gwbl, ac ni adawai Laura ef ond pan gysgai.

A'r diwrnod cynhaeaf gwair hwnnw ym mis Gorffennaf yr oedd yn wael iawn. Oddi allan yr oedd cymdogion yn cario'i wair, ac yntau'n rhy wael i gymryd unrhyw ddiddordeb yn hynny. Nid oedd waeth ganddo eleni pa un ai tas fawr ai tas fechan a gâi, pa un ai da ai sâl y gwair. Yr oedd yn ymwybodol o fynd a dyfod pobl yn ôl a blaen i'r tŷ i gael bwyd. Yr oedd yn fwy effro nag arfer, ac yr oedd arno fwy o eisiau Laura. Yr oedd hithau yno cyn amled ag y medrai, yn rhedeg yn ôl a blaen o hyd oddi wrth y bwrdd bwyd at y gwely. Yr oedd arno eisiau siarad hefo hi, eisiau sôn am eu dyddiau caru, pan aent am dro hyd y Ffordd Wen, a gweld nythod cornchwiglod yn nhyllau'r mynydd. Yr oedd arno eisiau sôn am y tro y gwelodd hi gyntaf yn y ffair, a hithau'n ddigalon am ei bod yn newid lle. Mor hapus oedd y dyddiau hynny pan gaent wasgu ei gilydd yn dynn wrth ddychwelyd o Gyfarfod Llenyddol y Graig! Gymaint o hwyl a gaent wrth ddychwelyd o Gyfarfod Pregethu, ag yntau wedi bod ar dân o eisiau i'r pregethwr orffen, a'i gael ei hun yn edrych yn amlach ar Laura nag ar y pregethwr! Yr oedd arno eisiau dweud y pethau yma wrthi i gyd. Pam na ddywedasai hwynt wrthi y prynhawniau hynny pan gaent de bach efo'i gilydd? Paham yr oedd ei swildod yn lleihau fel y gwanhâi ei gorff? Y tro nesaf y deuai Laura i'r siambr fe fynnai ddweud wrthi.

Pan ddaeth, yr oedd y pryd olaf drosodd, a thawelwch yn y tŷ. Ni allent glywed dim o'r sŵn a oedd yn y gadlas y tu ôl i'r tŷ. Deuai aroglau gwair i mewn i'r siambr drwy'r ffenestr. Yr oedd aroglau salwch ar y gwely, a blas anhyfryd ar enau Dafydd. Yr oedd ar ei led-orwedd, a chlustogau y tu ôl iddo. Daeth Laura yno.

'Gymrwch chi damaid bach o rywbeth i fwyta?' meddai hi. 'Mae pawb wedi clirio o'r tŷ rwan.'

'Na,' meddai yntau, 'fedra' i fwyta dim rwan.' Ac meddai wedyn: 'Gwanio 'rydw i, weldi.'

Ond wedi dweud hynyna, sylwodd ar Laura, a gwelodd ôl crio mawr ar ei hwyneb blinedig. Edrychodd arni.

'Laura,' meddai, 'beth sydd?'

'Dim,' meddai hithau, gan droi ei hwyneb tuag ato.

Gafaelodd ynddi, a throdd hi ato, ac yn ei threm fe welodd y wybodaeth a roes y doctor iddo yntau. Aeth ei frawddegau i ffwrdd. Ni allai gofio dim yr oedd arno eisiau ei ddweud wrthi, ond fe afaelodd ynddi, ac fe'i gwasgodd ato, a theimlai hithau ei ddagrau poethion ef yn rhedeg hyd ei boch.

1931

# Y Cwilt

Agorodd y wraig ei llygaid ar ôl cysgu'n dda trwy'r nos. Ceisiai gofio beth a oedd yn bod. Yr oedd rhywbeth yn bod, ond am eiliad ni allai gofio beth; megis y bydd dyn weithiau y bore cyntaf ar ôl i rywun annwyl ganddo farw yn y tŷ. Yn raddol, daw i gofio bod corff yn yr ystafell nesaf. Felly Ffebi Williams y bore hwn. Eithr nid marw neb annwyl ganddi oedd y gofid yn ei hisymwybod hi. Yn raddol (os iawn cyfrif graddoldeb mewn gweithred na chymer ond ychydig eiliadau i ddigwydd) daeth i gofio mai dyma'r dydd yr oedd y dodrefn i fynd i ffwrdd i'w gwerthu. Daeth y boen a oedd arni neithiwr yn ôl i bwll ei chalon. Syllodd o'i blaen at y ffenestr gan geisio peidio â meddwl. Yna, troes ei phen at ei gŵr. Yr oedd ef yn cysgu, a chodai ei fwstas yn rheolaidd wrth i'w anadl daro ar ei wefus uchaf. Yr oedd o dan ei lygaid yn las a'i wyneb yn welw, ac edrychai am funud fel petai wedi marw. Syllodd hi arno ef yn hir, a thrwy hir syllu gallodd ei dynnu i ddeffro. Edrychai John yn ffwndrus ar ôl agor ei lygaid. Yr oedd ei lygaid yn ddisglair, a gwenodd ar ei wraig, fel petai'n mynd i ddweud ei freuddwyd wrthi. Eithr rhoes ei ddwylo dan ei ben ac edrychodd o'i flaen at y ffenestr. Bu'r ddau'n hir heb ddweud dim.

' 'Waeth inni heb na phendwmpian ddim,' meddai ef toc, gan godi ar ei eistedd.

'Na waeth,' meddai hithau, heb wneud yr un osgo i godi.

' 'Waeth inni godi ddim.'

'Na waeth.'

'Codi fydd raid inni.'

'Ia.'

Gan mai'r wraig a godai gyntaf bob dydd, disgwyliai John Williams iddi wneud hynny heddiw. Eithr daliai hi i orwedd mor llonydd â darn o farmor.

Toc, tybiodd ef y byddai'n well iddo godi. Byddai'r

cludwyr yno yn nôl y dodrefn yn fuan. Cododd a gwisgodd amdano yn araf gan edrych allan drwy'r ffenestr wrth gau ei fotymau. Ni ofynnodd i'w wraig pam na chodai hi.

Wedi iddo fynd i lawr y grisiau, daliai Ffebi Williams i syllu drwy'r ffenestr ar yr awyr a orweddai ar orwelion ei hymwybyddiaeth. Ni chofiai fore ers llawer o flynyddoedd pan gâi orwedd yn ei gwely a syllu'n ddiog ar yr awyr, pan fyddai ei meddwl yn wag a'r awyr yn llenwi ei holl ymwybod. Heddiw, nid oedd ond yr un peth ar ei meddwl, sef y ffaith bod ei phriod wedi torri yn y busnes, a bod eu holl ddodrefn, ac eithrio'r ychydig bethau a oedd yn hollol angenrheidiol iddynt yn mynd i'w gwerthu. Hyn a fu ar ei meddwl hi a'i gŵr ers misoedd bellach, ym mhob agwedd arno. Meddyliasai'r ddau gymaint am yr holl agweddau arno, fel nad arhosai dim ond y ffaith noeth i drosi yn eu meddyliau erbyn hyn.

Flynyddoedd maith yn ôl, yn nyddiau cyntaf eu hantur, yr oedd ar Ffebi Williams ofn i ddiwrnod fel hwn wawrio arni. Fe freuddwydiodd lawer gwaith y gwnâi, ac ni faliasai lawer pe gwnelsai. Yr oedd rhyw ysbryd rhyfygus ynddi y pryd hwnnw. Nid oedd ddim gwahaniaeth ganddi pe collasai'r holl fyd. Yr oedd hi a'i gŵr wedi plymio i'r dŵr, ac yr oedd yn rhaid nofio. Pan oedd llifogydd weithiau o'u tu ac weithiau yn eu herbyn, yr oedd yn haws taflu pryderon i ffwrdd. Yr oeddynt yn ormod i ddechrau poeni yn eu cylch.

Eithr llwyddodd y busnes, ac wrth iddo gerdded yn ei bwysau, ciliodd yr ofnau cyntaf. Cafwyd blynyddoedd fel hyn. Modd bynnag, ychydig flynyddoedd yn ôl, dechreuodd pethau fynd ar y goriwaered. Tua blwyddyn yn ôl, yr oeddynt yn sicr eu bod yn mynd i lawr yr allt yn gyflym aruthrol. Yr oedd y braw o ddeall hynny fel clywed bod câr agos yn wael heb obaith gwella. Ar ôl y sioc gyntaf, yr oedd hithau wedi derbyn ei thynged yn dawel, yr un fath ag y derbynnir marw'r dyn gwael. Ond a oedd hi'n ei derbyn yn dawel? Methodd godi heddiw. Gwendid neu ystyfnigrwydd oedd hynny. Ni wyddai pa'r un. Dechreuodd achosion eu torri droi yn ei hymennydd eto, fel y gwnaethai ar hyd y misoedd. Siopau'r hen gwmnïau mawr yna tua'r dre oedd y drwg, yn gwerthu bwydydd rhad a'u cario erbyn hyn ddwywaith yr wythnos at ddrysau tai pobl. Mor ffiaidd oedd hi arni hi a'i gŵr a roes goel i'r bobl hyn ar hyd y blynyddoedd, a'u gweld yn talu ar law i bobl y faniau. Fe obeithiasai hi lawer gwaith y caent wenwyn wrth fwyta'r hen fwydydd tyniau rhad, ac y caent blorod hyd eu hwynebau. Mor falch ydoedd unwaith o ddarllen i un o'r cwmnïau mawr yma gael ei ffeinio oblegid i rywun gael gwenwyn.

Yr oedd hi a'i gŵr wedi mynd yn rhy hen i ymladd erbyn hyn. Dyna'r gwir. Ac ni allai hi, beth bynnag, ymostwng i'w thynged. Nid oedd colli'r holl fyd mor hawdd ag y tybiai hi gynt yn ei hieuenctid. Nid peth ysgafn oedd ymwacáu a mynd ymlaen wedyn. Yr oedd damcaniaeth yr ymwacâd yn iawn fel damcaniaeth, rhywbeth i ddynion segur ddadlau arno. 'Ond treiwch hi,' meddai Ffebi Williams wrth hi ei hun bore heddiw. Yr oedd ei gafael yn dynnach nag erioed mewn pethau. Cofiai'r holl storïau a glywsai hi erioed am gybyddion yn marw, a'u gafael yn dynnach nag erioed ar y byd yr oedd yn rhaid iddynt ei adael. Gallai ddeall rhywfaint arnynt heddiw. Ni allasai erioed o'r blaen. Digon hawdd oedd iddi hi, a phob pregethwr a bregethodd erioed ar y gŵr ifanc goludog a aeth ymaith yn athrist, sôn a meddwl bod colli'n beth hawdd. Yn ystod ei bywyd hi a'i gŵr yn y busnes, fe deimlodd lawer gwaith fod y byd yn mynd i ddisgyn am ei phen. Cilio oddi wrthi yr oedd y byd heddiw a'i gadael hithau ar ôl.

Clywai sŵn tincian llestri yn y gegin, a daeth ei meddwl am funud at ei hangen presennol – bwyd. Yna cofiodd fel y dywedodd ei gŵr fod yn rhaid gwerthu *popeth* ond yr ychydig bethau y byddai eu hangen arnynt, er mwyn talu cymaint ag a oedd yn bosibl o'u dyledion. Cydolygai hithau ar y foment – moment o gynhyrfiad, mae'n wir. Ond ar foment o gynhyrfiad y gorfyddir ar rywun benderfynu'n sydyn bob amser. Erbyn hyn buasai'n well ganddi petai'n gorfod gwerthu'r pethau angenrheidiol a chadw'r pethau amheuthun. Y pethau amheuthun a roesai iddi bleser wrth eu prynu: pethau nad oedd yn rhaid iddi eu cael, ond pethau a garai ac a brynai o flwyddyn i flwyddyn fel y cynyddai eu helw – cadair esmwyth, hen gist, cloc, neu ornament.

Yna daeth adeg o gynilo a stop ar hynny. Dim arian i brynu dim. Byw ar hen bethau. Aros gartref.

Ond rywdro, wedi iddynt ddechrau mynd ar i lawr, fe aeth i sioe efo'i gŵr, am ei bod yn ddiwrnod braf yn yr haf, a hwythau heb obaith cael mynd oddi cartref am wyliau. Er bod tywydd braf yn codi dyhead ynddi am ddillad newydd, eto fe godai ei hysbryd hefyd. Os oedd haul yn dangos cochni hen ddillad, fe gynhesai ei chalon er hynny. Cyfarfu â hen ffrind yn y sioe yn edrych yn llewyrchus iawn, yn gwisgo dillad sidan ysgafn o'r ffasiwn ddiweddaraf, a hithau, Ffebi, yn gwisgo ei siwt deirblwydd oed.

'O, Ffebi, mae'n dda gen i'ch gweld chi,' meddai'r ffrind, ac yr oedd dylanwad yr haul ar galon Ffebi yn gwneud iddi hithau deimlo'r un fath.

'Wyddoch chi be'?' meddai'r ffrind, 'mae yna gwiltiau digon o ryfeddod ar y stondin acw. Dowch i'w gweld.'

A gafaelodd yn ei braich a'i thynnu tuag yno.

Yno fe gafodd Ffebi demtasiwn fwyaf cyfnod ei chynilo, a bu'n ymgodymu â hi fel petai'n ymladd brwydr â'r gelyn. Yr oedd yno wlanenni a chwiltiau heirdd, ac yn eu canol un cwilt a dynnai ddŵr o ddannedd pawb. Gafaelai pob gwraig ynddo a'i fodio wrth fynd heibio a thaflu golwg hiraethlon arno wrth ei adael. Cwilt o wlanen wen dew ydoedd, a rhesi ar hyd-ddo – rhesi o bob lliwiau, glas a gwyrdd, melyn a choch, a'r rhesi, nid yn unionsyth, ond yn cwafrio. Yr oedd ei ridens yn drwchus ac yn braw o drwch a gwead clòs y wlanen. Daeth awydd ar Ffebi ei brynu, a pho fwyaf yr ystyriai ei thlodi, mwyaf yn y byd y cynyddai ei hawydd.

'Ond 'tydi o'n glws?' ebe'r ffrind.

Ni ddywedodd Ffebi air, ond sefyll yn syn. Gadawodd ei ffrind heb ddweud gair ac aeth i chwilio am ei gŵr. Eglurodd iddo fod arni eisiau arian i brynu'r cwilt ar unwaith, rhag ofn i rywun arall ei brynu. Edrychai ei gŵr yn anfodlon er na ddywedai ddim. Ped edrychasai fel hyn yn yr hen amser, pan oedd ganddynt ddigon o arian, buasai'n ddigon iddi beidio â phrynu'r cwilt. Yr oedd ei dyhead heddiw, dyhead gwraig ar dranc, yn drech nag unrhyw deimlad arall. Cafodd yr arian a phrynodd y cwilt. Wedi mynd ag ef adref, rhoes ef ar y gwely, a theimlodd ef ar ei hwyneb er mwyn cael syniad o'i deimlad. Bron na hiraethai am y gaeaf. Cofiodd rwan fod y cwilt yn y gist yn barod i'w werthu, a daeth iddi ddyhead cyn gryfed am ei gadw ag a oedd iddi am ei brynu. Penderfynodd na châi'r cwilt, beth bynnag, fynd i'r ocsiwn.

Ar hynny daeth ei gŵr i'r ystafell a dau hambwrdd ganddo. Peth amheuthun hollol iddi oedd brecwast yn ei gwely, ond fe'i cymerai'n ganiataol heddiw, ac ymddygai ei gŵr fel petai'n hollol gynefin â dyfod â brecwast i'w gwely iddi.

Cododd ar ei heistedd, y symudiad cyntaf o eiddo ei chorff er pan aethai ei gŵr i lawr y grisiau, ac eisteddodd yntau ar draed y gwely. Ni allai'r un o'r ddau siarad fawr. Yn wir, daeth newid rhyfedd drosti hi. Yr oedd y te'n boeth ac yn dda, a charai ei glywed yn mynd drwy ei chorn gwddw ac i lawr ei brest yn gynnes. Yr oedd y bara 'menyn yn dda hefyd, a'r frechdan yn denau. Trôi ef ar ei thafod a chnôi ef yn hir. Edrychodd ar ei gŵr.

'Mae o'n dda,' meddai.

'Ydi,' meddai yntau, 'mae o.' Ro'n i'n meddwl 'mod i wedi torri gormod o fara 'menyn, ond 'dydw' i ddim yn meddwl 'mod i.'

'Nag ydach,' meddai hithau, gan edrych ar y plât.

Teimlai Ffebi wrth fwyta yn rhyfeddol o hapus. Yr oedd yn hapus am fod ei gŵr yn eistedd ar draed y gwely.Ni chawsai hamdden erioed yn y busnes i eistedd a bwyta'i frecwast felly. Hwi ras oedd hi o hyd. Rhyfedd mai heddiw o bob diwrnod y caent yr hamdden. Yr oedd yn hapus wrth fwyta'i bwyd hefyd, clywed ei flas yn well nag y clywodd ef erioed, er nad oedd ddim ond bara 'menyn a the. Medrodd ymddihatru oddi wrth y meddyliau a'i blinai cyn i'w gŵr ddyfod i fyny, a theimlo fel y tybiodd flynyddoedd maith yn ôl y gallai deimlo wedi colli popeth. Nid oedd yn malio am funud, beth bynnag, a theimlai fod holl hapusrwydd ei bywyd wedi ei grynhoi i'r munudau hynny o fwyta'i brecwast. Teimlai fel pe na buasai amser o'i flaen nac ar ei ôl. Nid oedd ddoe nac yfory mewn bod. Hwnnw oedd Y Presennol Mawr. Ac eto, beth oedd bywyd ar ei hyd ond meddwl am yfory? Ni buasai eisiau i neb fynd i waith nac i fusnes oni bai bod yfory mewn bod. Ond nid oedd yn bod rwan, beth bynnag, i Ffebi Williams. Cafodd oruchafiaeth ar ei gofid yn yr ychydig funudau gogoneddus hynny.

Dyma sŵn men fodur drom wrth y llidiart. 'Dyna hi wedi dŵad,' ebe John, a chymerodd y ddau hambwrdd ar frys a rhuthro i lawr y grisiau. Gorweddodd hithau'n ôl gan lithro i'r un syrthni ag o'r blaen. Clywai'r drysau'n agor a sŵn traed yn cerdded. Yr oedd sŵn symud i'w glywed ymhobman yn y tŷ ar unwaith fel y bydd mudwyr dodrefn. Traed y dodrefn yn rhygnu ar hyd y llawr a chadeiriau'n taro yn ei gilydd. Ymhen eiliad dyma sŵn traed yn rhedeg i fyny'r grisiau a'u perchenogion yn chwibanu'n braf. I mewn â hwy i'r ystafell nesaf. Y gwely'n gwichian yn y fan honno wedyn. Neidiodd Ffebi Williams allan o'i gwely ac i'r gist. Tynnodd y cwilt allan ac aeth yn ôl i'r gwely ac eistedd. Lapiodd ef amdani gan ei roi dros ei phen. Gallai ei gweld ei hun yn nrych y bwrdd a safai yn y gongl.

Yr oedd fel hen wrach, y cwilt yn dynn am ei hwyneb ac yn codi'n bigyn am ei phen. Ar hyn dyma agor y drws gan un o'r cludwyr dodrefn, bachgen ifanc. Pan welodd hwnnw Ffebi Wiliams yn ei gwely felly, aeth yn ôl yn sydyn.

Ymhen ychydig eiliadau clywai hithau chwerthin yn dyfod o ben draw'r *landing.*

1936

# Gofid

Eisteddai Begw ar stôl o flaen y tân, a'i chefn, i'r neb a edrychai arno, yn dangos holl drychineb y bore. Cyffyrddai ymylon ei siôl dair onglog â'r llawr, a'r llawr yn llawn o byllau mân yn disgyn oddi wrth facsiau eira ag ôl pedolau clocsiau ynddynt. Heddiw, yn wahanol i arfer, yr oedd ei gwallt yn flêr, a hongiai'n gynhinion di-drefn ar ei hysgwydd. Am ryw reswm na wyddai Begw, ni phlethasai ei mam ei gwallt neithiwr. Yr oedd hynny'n beth braf, oblegid byddai ei mam yn tynnu ei gwallt bron o'r gwraidd wrth ei blethu, gyda holl wydnwch ei breichiau a holl rym y dymer y byddai ynddi. Byddai ei phen yn ysu am oriau ar ôl y driniaeth, ond byddai'n braf yn y bore, ar ôl datod y plethi, gael teimlo'r trwch tonnog yn disgyn heibio i'w chlustiau ac ar ei gwddf. Chwythai'r gwynt oer o dan y drysau gan chwythu rhidens y siôl a mynd dan ei thrywsus pais, ond âi gwres y tân at ei phen.

O fewn pedair blynedd ei phrofiad ar y ddaear dyma'r diwrnod mwyaf digalon a gawsai Begw erioed – diwrnod du, diobaith er bod pob man yn wyn. Cronnai ei hanadl wrth geisio dal ei hocheneidiau'n ôl. Yr oedd arni ofn cael drwg gan ei mam, fel y câi bob amser am ddal i grio. Ond daeth llais ei mam yn fwynach nag arfer y tro hwn.

'Dyna chdi rŵan. Waeth befo hi. Dim ond cath oedd hi. Beth tasat ti wedi colli dy fam?'

Torrodd yr argae wedyn. Ar y funud buasai'n well ganddi hi golli ei mam na cholli Sgiatan. Yr oedd Sgiatan yn ffeind bob amser a'i mam ddim ond ambell dro. Daeth yr hyn a welsai hanner awr yn gynt i'w meddwl yn ei holl fanylion a'i gorchfygu eto. Wrth godi'r bore hwnnw, edrychasai Begw ymlaen at ddiwrnod-gwahanol-i-arfer, am fod eira mawr hyd y ddaear, un o'r dyddiau hynny pan gâi dynnu'r llyfr â'r lluniau ofnadwy a'i roi ar y setl, un o'r dyddiau pan gâi wisgo ei hesgidiau gorau, diwrnod tebyg i'r un pan gafodd wlanen a saim gŵydd am ei gwddf a chael brechdan grasu â dŵr a siwgr a sunsur arni, un o'r dyddiau pan eisteddai ei mam wrth y tân i adrodd stori wrthi. Paratoad i'r diwrnod-gwahanol-i-arfer oedd peidio â chael plethu ei gwallt y noson gynt. Parhad o hyn oedd cael gwisgo amdani cyn ei 'molchi a tharo siôl drosti.

Pan gododd, nid oedd Sgiatan o gwmpas yn unlle, ac er gweiddi 'Pws, Pws,' ni ddaeth o unman. Toc, mentrodd agor drws y cefn a dyna lle'r oedd Sgiatan – nid ar garreg y drws yn codi ei chynffon ac yn barod i'w rhwbio ei hun yn ei choesau, ond yn gorwedd mewn crwc o ddŵr, ei phedair coes wedi ymestyn allan fel y byddent weithiau ar fatyn yr aelwyd, ond ei dannedd yn ysgyrnygu fel yr hen anifail hyll yn y 'Drysorfa'r Plant,' a'i blew, ei blew melfed, fel hen falwen seimllyd ar lwybr yr ardd, a'i llygaid mor llonydd a rhythlyd â llygaid gwydr ei dol. Ni allai gredu ei bod yn bosibl i Sgiatan, a ganai'r grwndi efo hi cyn iddi fyned i'w gwely neithiwr a wincio arni oddi ar y stôl haearn, fod wedi –. Ni allai ddweud y gair. Yr oedd yn rhy ofnadwy. Ie, ond wedi marw yr oedd, nid oedd yn rhaid i neb ddweud wrthi mai dyma beth oedd marw. Yr oedd hi fel y llygoden a aeth i'r trap.

'Cau'r drws yna, a thyrd i'r tŷ, mae hi'n oer.'

Ei mam yn galw arni, ond sut yr oedd yn bosibl dyfod i'r tŷ. Llygad-dynnid hi at y corff marw. Yr oedd arni ei ofn ac yr oedd arni eisiau rhedeg oddi wrtho, ond hoelid hi wrth y ddaear i edrych arno. Tywynnai'r haul yn danbaid ar wynder yr eira, a disgynnai'r dafnau parhaus oddi ar y bondo ar ei phen. Yr oedd mwclis gwydr yr eira yn estyn crafangau hir allan i dynnu'r dŵr o'i llygaid a'i llygaid bron â mynd ar ôl y dagrau. Ond ni fedrai symud. Pan ddaeth llais ei mam yr eildro, caeodd y drws a thu ôl i'w dywyllwch y teimlodd bang gyntaf y cau drysau a fu yn ei bywyd wedyn.

Ei bwriad cyntaf oedd mynd yn ôl i'w gwely er mwyn cael crio'n iawn a rhoi ei phen o dan y dillad. Pe rhoddai ei phen o dan y dillad a chau ei llygaid, byddai yno dywyllwch a dim byd ac ni fedrai weld Sgiatan yn ysgyrnygu ei dannedd.

' 'Dwyt ti ddim i fynd i'r siamber yna yn dy glocsiau.'

O, diar, yr oedd bywyd yn galed. ' 'Dwyt ti ddim i wneud hyn, 'dwyt ti ddim i wneud y llall.' A dim Sgiatan i rwbio'i phen yn ei choesau. Aeth at y tân o lech i lwyn, eistedd ar y stôl a beichio crio.

'Taw â chlegar,' oddi wrth ei thad. Clegar – clegar – hen air hyll. Ei thad yn defnyddio hen air fel yna a Sgiatan wedi – wedi – marw!

Cododd i nôl ei doli bren a lapiodd ei siôl amdani. Criodd gymaint am ei phen nes y rhedodd y paent ac i'w cheg. Ceisiai ei swatio yn ei chesail, ond sut oedd modd magu hen beth caled felly ar ôl magu peth mor esmwyth â Sgiatan a edrychai mor ddigri â'i phen allan o'r siôl? Wrth gofio hynny wedyn, taflodd y ddol i lygad y tân. Buasai wrth ei bodd yn ei gweld yn fflamio – y ddol yn cael mynd i'r 'tân mawr' ac nid Begw – y hi a'i hen wyneb paent, hyll. Cipiodd ei mam hi o'r fflamau ond nid cyn rhoi clustan iawn i'w merch. Aeth y crio'n sgrechian.

'Wel, wir, 'dwn i ddim beth wna i efo'r plentyn yma.'

'Eisio chwip din iawn sydd arni,' meddai ei thad.

'Mi allasach chitha feddwl ddwywaith cyn boddi'r gath. 'Dwn i ddim beth ydi rhyw ysfa rhoi cath mewn bwced sydd ynoch chi o hyd, cyn gynted ag y gwnaiff hi rywbeth.'

Felly ei thad a wnaeth. Cododd Begw ac aeth i ben y soffa ac edrych allan. Yr oedd y ddaear i gyd yn fwclis, a'r coed yn estyn bysedd hirion, gwynion tuag atynt. Swatiai'r ieir yng nghornel yr ardd â'u pennau yn eu plu, yr un fath yn union ag y stwffiai hithau ei phen i'w bwa blewog yn y capel ar fore Sul oer. Yr oedd hen Jac Do mawr du yn pigo asgwrn yn yr eira a lot o adar gwynion fel gwyddau ymhobman. Ar hyd pen y clawdd yr oedd cris-croes ôl traed yr ieir. Rhedai ei llygaid ar ôl yr eira yn bell bell. Yr oedd fel crempog fawr a lot o dyllau ynddi a chyllell ddur las rhyngddi a Sir Fôn. Ond yr oedd ei phen yn troi wrth edrych arni ac yr oedd ei llygaid am ddyfod allan o'i phen o hyd. Dechreuodd y grempog godi rownd ei hymyl a chychwyn tuag ati. Syrthiodd Begw ac ni wyddai ddim wedyn ond ei bod ar lin ei mam, ei phen yn gorwedd ar wlanen arw ei bodis, a'r gadair yn siglo ôl a blaen,

blaen ac ôl. Agorodd Begw fotymau'r bodis, a rhoes ei llaw oer ar fron gynnes ei mam. Gyda chil ei llygaid gallai weled ei thad ac wrth ei gysylltu â'i gofid caeodd ei llygaid yn sydyn, a thoc aeth i gysgu.

Gwenai'r hen ddoli nain drwy ei sbectol o'r cwpwrdd gwydr ar y tri, daliai'r llong ar ben y cloc i daro ei gwegil yn y môr ar un ochr ac i foesymgrymu i'r môr yr ochr arall, ac edrychai'r pregethwr yn sarrug iawn o'r ffrâm ar y pared.

Y noson honno, deffroes Begw yn ei gwely rywdro yng nghanol y nos fawr. Agorodd ei llygaid ar y blanced ddu o dywyllwch. Ni allai ddweud ym mha le'r oedd y ffenestr na'r drws. Rhaid ei bod ymhell ar y nos, oblegid ni ddeuai golau'r tân i mewn drwy ddrws y siamber. Ni chlywai Begw ddim ond sŵn anadl ei mam – 'pw – pw' o hyd. Ond yn sydyn o'r tywyllwch dyma rywbeth yn neidio o'r llawr ar y gwely ac yn ôl drachefn yr un mor sydyn. Cyffyrddodd eiliad â bodiau ei thraed ac yna diflannodd i'r distawrwydd. Sgiatan wedi dŵad yn ôl, meddyliai Begw wrthi hi ei hun. Ond er holi drannoeth, ni chafodd unrhyw eglurhad ar y mater, dim ond pawb yn gwneud hwyl am ei phen a gwrthod ei chredu, 'am ei bod yn dychmygu pethau.'

1959

# Y Pistyll

Safai Begw ar ffon isaf y llidiart gan afael yn y ffyn syth a'i siglo ei hun ôl a blaen ac edrych allan i'r ffordd. Buasai ei libart yn gyfyng iawn ers mis o amser, gwely, salwch a chegin. Heddiw yr oedd yn helaethach o beth, cafodd ddyfod allan i'r cowrt ac edrych ar y lôn. Yr oedd arni eisiau gweld a gweld, gweld y lôn ar ei hyd, y siop a'r capel, y pethau cynefin a oedd yn newydd eto. Rhoi ei thrwyn rhwng ffyn y llidiart gan feddwl yr âi ei hwyneb drwodd, ond yr oedd yn rhy gul. Yr oedd yn rhaid iddi edrych ar glwt sgwâr o'i blaen, ac yr oedd hwnnw fel pictiwr mewn ffrâm, y pistyll na ddistawodd am eiliad yr holl amser yn ei gwely, heddiw yn ei ffrâm werdd o eithin, yn taflu ei fwa o ddŵr yn dawel i'r pwll, a hwnnw yn ei dderbyn gyda sŵn undonog fel sŵn adrodd a âi ymlaen am byth bythoedd. Pan welsai hi'r pistyll ddiwethaf deuai'r dŵr drosodd fel ceffyl gwyn yn neidio ac yn gwehyru, y sŵn yn byddaru'r tai, a'r pwll yn maeddu poer yn gylchoedd wrth ei dderbyn. Wil y Fedw wedi dyfod yno efo iâr eisiau gori a'i dal gerfydd ei thraed a'i phen i lawr o dan y pistyll, a hithau'n crïo wrth weld ei greulondeb. Wil wedyn yn rhoi ewyn y pistyll ar ei wyneb a'i wneud ei hun fel hen ddyn a barf wen o gwmpas ei ên i'w dychryn yn rhagor . . . Cyffiodd ei choesau wrth sefyll ar y llidiart, ac nid oedd ei gafael ar y ffyn yn rhy dynn.

Tybed a ddôi Mair drws nesa' allan i chwarae? Troes ei phen i gyfeiriad y tŷ, ond nid oedd dim ond distawrwydd a drws caead yn y fan honno. Yr oedd yn braf bod allan yn lle bod yn y gwely, ond nid oedd yn braf bod yn llonydd ychwaith. Buasai'n llonydd cŷd mewn siamber glòs, yn taflu i fyny o hyd, ac ofn arni i'w mam ei gadael am eiliad. Ceisiai ei gorau beidio â thaflu i fyny, ond fe ddôi heb iddi feddwl fel y pistyll yn y lôn, a'i mam yn rhedeg i roi ei llaw gref ar ei thalcen.

'Dyna fo, mi fydd drosodd mewn dau funud.'
' 'T ydw i ddim yn treio bod yn sâl, nag ydw wir.'
'Nag wyt, siŵr iawn.'
'A finna wedi meddwl bod yn well erbyn i nhad ddŵad adra o'r chwaral.'
'A mi fyddi hefyd gei di weld. Ust, gwrando. Dyma fo ar y gair.'
'A sut mae Begw heno?'
'Newydd gael pwl eto,' ebe'r fam yn ddistaw.
'Hitia di befo Begw. Mi fyddi di yn well o lawer wedi cael gwared o'r hen beth.'
'Llymad o'r dŵr yna iddi, Wiliam.'
'Dyma chdi yli, mi wneith hwn olchi dy wddw di.'
'Ych. Hen flas sur!'
'Mi wna i frechdan grasu iti toc i hel o i ffwrdd.'
'Ella mai yn i hôl y daw honno wedyn,' ebe Begw'n fwy llawen.
'Dim ods. Mi arhosith i lawr rywdro, dim ond treio ddigon amal.'
Yr oedd ganddi biti dros ei thad yn sefyll yn fanno heb dynnu ei dun bwyd o'i boced, ôl ei het yn rhimyn coch ar ei dalcen a golwg wedi blino arno.
Yr oedd hynyna i gyd drosodd. Nid oedd arni ofn i'w mam fynd o'i golwg bellach, ac nid oedd ganddi biti dros neb. Cerddodd yn araf ar hyd y llwybr gan dynnu ei llaw ar hyd cerrig y wal, er mwyn teimlo garwedd y cymrwd ar ei bysedd. Ar y gongl rhwng y wal hon a'r wal arall yr oedd carreg fawr lefn. Dim ond iddi fynd i ben y garreg gallai ddisgyn yn hawdd i ardd y drws nesa'. Rhoes flaen ei chlocsen yn ofalus mewn twll yn y wal, a gallodd ei chodi ei hun ar y garreg lefn a llithro drosti i ardd y drws nesa'. Yr oedd y garreg yn gynnes oddi wrth yr haul, a theimlad braf oedd i ddarn noeth o'i chlun gyffwrdd â hi. Ond O! yr oedd wedi disgyn ar lwyn riwbob Mrs. Huws a thorrodd un coesyn o hwnnw yn gratsien dan ei throed. Yr oedd y sŵn hwnnw yn sŵn braf hefyd, mor braf fel y daeth rhyw ddiawl bach iddi a gwneud iddi dorri coesyn arall ac un arall. Y munud nesaf daeth ofn arni. Beth os gwelsai Mrs. Huws hi, câi dafod iawn ganddi, os na thoddai ei chalon

wrth weld ei choesau tenau. Ni allai fynd yn ôl i'w libart ei hun, yr oedd y naid yn rhy uchel. Eisteddodd ar y garreg lefn i edrych ar ardd ei chymdogion. Yr oedd fel pictiwr efo'i briallu coch a gwyn, ac ymyl o flodau bach piws i'r llwybrau – miloedd ohonynt yn glòs yn ei gilydd yn glystyrau tew fel côr ar lwyfan, yn ei dallu â'u disgleirdeb. Nid oedd ganddynt hwy flodau fel hyn, ond byddai ei thad yn dweud nad oedd gan bregethwr ddim byd i'w wneud trwy'r dydd ond trin ei ardd. Teimlai'n gysurus yn yr haul, ei chorff yn ysgafn a'i dillad yn llac amdani, ei siôl yn ei lapio yn gynnes a'i gwallt yn glyd odani o gwmpas ei gwddf.

Penderfynodd fynd i'r lôn trwy lidiart y drws nesa', ac os deuai Mrs. Huws i gyfarfod â hi, gallai ddweud mai dyfod i alw ar Mair yr ydoedd. Ond ni ddaeth neb, a phan ddaeth gyferbyn â'r drws cefn, penderfynodd fynd ato a chnocio. Ond cyn rhoi'r gnoc clywodd lais y pregethwr yn dweud gras bwyd, rhedodd yn ôl am ei bywyd a thrwy'r llidiart ac i'w libart ei hun. Yr oedd yn gas ar Mair debygai Begw, ei thad yn dweud gras bwyd ac yn tyfu barf. Clywsai ei mam yn dweud yn un o'r pyliau hynny a gâi o refru ar bawb, ac ar Mrs. Huws drws nesa' yn arbennig, mai ei wraig a wnâi i Mr. Huws adael i'w farf dyfu i arbed talu am ei dorri o.

Aeth yn ôl i'w thŷ ei hun, lle'r oedd aroglau cynnes smwddio yn cyfarfod â hi wrth ddrws y gegin, a'i mam ar ei gliniau wrth y tân yn rowlio coleri startsh o amgylch ei dau fys a'u rhoi ar y diogyn o flaen y tân i galedu, a hwythau fel torchau nadroedd yn y fan honno. Rhoesai ei mam sbectol i archwilio ei gwaith smwddio, a deuai'r haul trwy'r drws a dangos y blew gwynion yn ei gwallt.

'Wel, be welaist ti?'

'Gardd drws nesa'.'

'Y? Fuost ti 'rioed yn fanno?'

'Do. A mi 'r ydw i wedi torri coesau riwbob Mrs. Huws.'

'Tendia di iddi gael gafael arnat ti.'

'Tw, welodd hi mona i.'

'Dwn i ddim wir, mae gynni hi lygad yn nhu ôl i phen.'

'Ond mi 'r oeddan 'nhw'n byta. Mi glywais i Mr. Huws yn deud – "trwy Iesu Grist. Amen".'

'Do mi wn, mae'u diolch nhw yn hwy na'u pryd bwyd nhw.'

Wrth glywed am y llygad tu ôl i'w phen, daeth rhywbeth yn ôl i Begw rhag ei gwaethaf – rhywbeth y bu am fisoedd maith yn ceisio ei anghofio. Yr oedd i fod i fynd i drws nesa' ar gais Mrs. Huws i chwarae efo Mair ar ddiwrnod gwlyb a Mair dan annwyd. Yr oedd hynny fisoedd yn ôl. Yn ei mawr awydd i gael mynd i dŷ'r pregethwr, aeth yno yn gynt na'i hamser, a hwythau ar ganol eu cinio, heb ddechrau ar eu pwdin. Dyna Mrs. Huws yn rhoi pwdin ar blat iddi, a gwneud iddi eistedd ar stôl drithroed o flaen y setl a'i fwyta yn y fan honno, a'i chefn ar y bwrdd a'r teulu. Teimlai fod llygaid Mrs. Huws yn dyfod trwy ei gwegil at y plat a'r darten gwsberis. Gallai weld y llefrith wedi cawsio ar y darten o'i blaen o hyd. Mor anhapus y teimlai wrth roi pob llwyaid yn ei cheg wrth feddwl ei bod wedi mynd yno yn rhy fuan. Ond rhoesai ei mam olwg arall ar bethau wedi iddi fynd adre.

'Tydw i ddim am fynd i drws nesa' byth eto.'

'Be fuo heddiw eto?'

'Mynd yno yn rhy fuan ddaru 'mi, a nhwtha wrthi'n byta; a mi ges i darten gwsberis a'i bwyta ar y setl. 'Doedd arna i ddim o'i heisio hi. Mi'r oedd Mrs. Huws yn gas wrth i rhoi hi i mi.'

'Wrth y setl aiê. Os oeddat ti'n ddigon da i fynd i chwara efo'i merch hi, mi'r oeddat ti'n ddigon da i ista wrth i bwrdd hi hefyd.'

Deuai gwres cywilydd i'w hwyneb wrth iddi gofio am hynny rwan, a gallai weld y llefrith wedi cawsio ar y darten gwsberis yn serennu arni, ond ni chofiai â chof digllon ei mam – eisiau rhywun i chwarae efo hi *heddiw* oedd arni ac yr oedd Mair yn well na neb. Rowliodd ei mam goler arall dros ei dau fys.

'Welis i rioed le a chyn lleied o blant. 'R oedd gormod o blant ers talwm.'

'Lle mae Robin?'

'Mae o ymhen i helynt tua'r Coedcyll yna, yn gwlychu 'i draed reit siŵr. Mi fydd ynta yn sâl eto.'

'Mi â' i efo fo fory.'

'Na, 'dei di ddim, ma'r gwynt yn rhy fain a'r dŵr yn rhy oer.'

Clustfeiniodd Begw, a chlywodd glic llidiart y drws nesa'. Allan â hi, a dyna lle'r oedd Mair, ond nid yn rhedeg i gyfarfod â hi, ond yn sefyll wrth ei llidiart ei hun heb symud. Aeth Begw ati a gafael yn ei llaw yn swil, gan edmygu cyrls trwchus Mair a'i bochau cochion.

'Mae arna i eisio mynd i'r siop i mam,' ebe Mair.

'Mi ddo'i efo chi.'

'Ddaru mi ddim gofyn ichi. Gofynnwch gynta.'

'Ga' i?'

'Cewch.'

A chychwynnodd y ddwy, Begw yn taro ei chlocsiau yn galed ar y ddaear, yn rhoi ei gên ar les ei brat, y gwynt oer yn gwneud i ddŵr sboncio o'i llygad, a chyrls Mair yn neidio fel bwi ar fôr o gwmpas ei hwyneb. Yn y gwelltglas ar ochr y ffordd, ymdrechai rhyw flodyn Ebrill unig ei ddangos ei hun, yng nghanol y llwydni, a'r gwelltglas yn ddigon llwm ichwi allu chwipio top arno. Safai dafad ac oen yn grynedig ar boncan y wal bridd, yr oen yn glòs o flaen ei fam yn rhoi rhyw gam byr a stopio, cam byr a stopio o hyd, fel dau degan ohonynt hwy eu hunain ar dresel. Yna daeth sŵn cnoc-cnoc morthwyl, sŵn nas clywsai Begw ers pa cyd, a seren o garreg ar bentwr cerrig Twm Huws y Ffordd yn disgleirio yn yr haul. Eisteddai'r torrwr cerrig ar ei bentwr yn ei London Iorcs a sbectol weiran am ei lygaid, yn dal i gnocio fel petai heb glywed sŵn troed neb a heb droi ei ben.

'A dyma Begw wedi mendio.'

'Sut oeddach chi'n gwbod mai fi oedd yna?'

'O ma gen' i lygada tu ôl i mhen wsti.'

' 'R un fath â Misus . . .'

' 'R un fath â phawb sy'n mynd i oed. Mi'r oedd hi'n chwith iawn hebot ti hyd y lôn yma, ond yr oeddwn i'n cael cownt ohonot ti bob dydd. Oho, fel yna Mair, aiê, gollwng dy dirsia am fod Begw yn cael sylw,' ebe Twm Huws dan lafar ganu'r rhigwm:

> 'Mwnci ciat a mwnci ciatas
> Tirsia mul a thirsia mulas.'

'Lle ddaru 'chi ddysgu honna?'

'Gin fy nain. Ydach chi'n mynd i'r siop?'

'Ydan.'

'Pwy ddeudodd wrthoch chi yn bod ni yn mynd i'r siop?' ebe Mair.

'Y chi.'

'Ia ond y fi sy'n mynd nid y chi.'

'Mi 'r ydw i'n mynd adra ynta,' ebe Begw, bron â chrïo.

'Hitia di befo Begw, mi ddaw dy dro ditha i fod yn fistras ryw ddwrnod. Ond paid ti â chymyd gynni hi. Yli *di* Begw, dos di i'r siop drosta *i*, a thyd ag owns o baco i mi, a dyma iti ddima i wario. A Mair, gan dy fod titha yn mynd i'r siop *efo* Begw, dyma i titha ddima i arbad helynt.'

Edrychai Begw ar ben ei digon a Mair wedi torri ei chrib. Ond pêl yn codi'r bownd oedd Mair yr un fath â'i chyrls, a dechreuodd brepian wedyn.

'Hen ddyn cas ydi Twm Huws.'

' 'R ydw i'n meddwl i fod o'n ddyn ffeind iawn.'

'Mae o'n hen ddyn coman ac yn gwisgo trywsus melfaréd.'

'Ma' nhad yn gwisgo trywsus melfaréd hefyd, ond 'does gynno fo ddim London Iorcs. Mi faswn i'n licio tasa gynno fo London Iorcs.'

Yr oedd y siop fel erioed yn llawn o bob math o aroglau ar draws ei gilydd yr un fath â'r nwyddau. Ni ddywedodd y siopwr ddim wrth Begw, ddim ond gwenu. Ac O! mi'r oedd yno fferins bob lliw, yr un siap â soser a'i hwyneb i lawr, a phob math o bethau wedi eu hysgrifennu arnynt mewn lliwiau eraill. Gwerth dimai bob un a brysio allan er mwyn cael agor y cwd papur ac astudio'r geiriau cariadus fel, 'Kiss me quick' a oedd ar y da-da, a'u bwyta. Ond nid cyn i Mair gael gwneud yn siŵr na chafodd Begw fwy na hi.

Brysiodd Mair ymlaen tan gnoi a chyrhaeddodd ddrws y tŷ efo'r neges i'w mam, a Begw wrth ei sawdl, cyn gorffen y fferins. Yr oedd Mrs. Huws wedi agor y drws cyn i Mair godi'r glicied. Edrychai Mrs. Huws yn fwy sarrug nag arfer, a'i gwallt wedi ei dynnu yn dynn oddi wrth ei hwyneb. Yr oedd ei llais yn sych a chaled.

'Mi fuoch yn hir iawn a finna eisio'r burum. Siarad efo hen ddyn y ffordd yna y buoch chi, mi wranta.'

'Begw fuo, fuo fi ddim.'

'Ddylat ti ddim siarad efo rhyw hen ddyn fel yna Begw.'

'Mi gawson ni ddima i wario gynno fo.'

'Ddaru chi, Mair, 'rioed gymryd dimai gynno fo.'

'Do,' ebe hi mewn cywilydd.

'A mi ddaru 'chi i gwario hi am fferins?'

'Do.'

'Y fo ddeudodd mai i gwario yr oedd hi i fod,' ebe Begw yn amddiffynnol.

'I oeddwn i ddim yn siarad efo chdi Begw. Efo Mair yr oeddwn i'n siarad. 'Does ryfadd yn y byd ych bod chi'n cochi a rhoi'ch pen i lawr Mair. Begw dos di adra a dowch chitha i'r tŷ Mair.'

Hyn heb edrych ar Begw. Caeodd y drws mor sydyn fel y cafodd Begw hi ei hun yn edrych i fyny fel cyw deryn am ei damaid, a'i llygaid yn rhythu ar y swigod paent ar ddrws Mrs. Huws. Ni allai symud o'r ystum yma am dipyn, oblegid digwyddasai'r cwbl fel corwynt. Yna ceisiodd glustfeinio i wybod beth a ddeuai o Mair. Safodd yno yn ddisgwylgar, wedi ei hoelio, ac ias o ofn a phleser cymysg yn mynd i lawr ei chefn. Disgwyliai glywed sgrech. Ond ni ddaeth iddi y pleser o feddwl bod Mair yn cael ei chwipio, dim ond sŵn pryfed yn yr awyr ar dywydd poeth.

Blinodd aros i ddim ddigwydd ac aeth yn ôl i'w thŷ ei hun am yr ail waith. Yr oedd sŵn tincian llestri te yno erbyn hyn, a'r smwddio drosodd.

'Wel?'

'Mae Mair yn cael cweir 'd wi'n meddwl.'

'Am be?'

'Am wario dima am fferins heb ofyn i'w mam.'

'Chafodd hi 'rioed ddima gin i mam.'

'Naddo. Twm Huws roth ddima bob un inni am ddŵad â baco iddo fo o'r siop.'

'R o'n i'n meddwl. Lle mae dy fferins di?'

'Dyma nhw. Hwdiwch.'

'Na, na i wir mo'r hen bethau lliw yna o ryw gynffon cwd papur felna. Well gin i lwmpyn brith a fferins mint, a wneiff rheina ddim lles i titha. Tyd i drio byta rhwbath wnaiff les iti.'

'T oes arna i ddim eisio bwyd.'

'Tyd, dyma i ti frechdan dda. Mi gawn ni swper chwarel toc. Dyma Robin yn dŵad tan lusgo'i draed.'

'O, mi 'r ydw i *dest* â llwgu.'

'Mi llasat titha ddŵad adra at dy fwyd, fedrwn i ddim dŵad â fo ar dy ôl di.'

Lluchiodd Robin ei gap ar y soffa a dechreuodd slaffio'r brechdanau cyn eistedd.

Gweddnewidiwyd y gegin i Begw. Daeth aroglau hogyn iddi, aroglau trywsus melfaréd a llaid dŵr budr. Disgynnai pluen ei wallt yn wlyb dros ei dalcen, ac yr oedd rhimyn main o ôl dŵr yn rhedeg o'i wallt hyd i'w arlais.

'A be fuost *ti*'n wneud efo dy ddwrnod gŵyl?'

'O fawr ddim. 'Does yna ddim cnau na physgod na silidóns na dim yr adeg yma ar y flwyddyn.'

'Paid ti â deisyfu d'oes, y machgen i, mi ddaw hi'n amsar cnau yn hen ddigon buan iti. Aros di nes doi di i f'oed i.'

'Ond mi rydan ni wedi ffeindio llyn i sbydu pan ddaw hi'n adag dal pysgod.'

'Do, mi wn, mi'r ydach chi siŵr o ffeindio rhyw ddrwg, Tydi Begw druan wedi cael fawr o hafit ar i diwrnod cynta allan.'

Ni wyddai Robin ar y ddaear beth i'w ddweud wrth ei chwaer. Gallasai siarad yn haws â physgodyn.

'Mi fuo raid i Mair fynd i'r tŷ am wario dima, a cheith hi ddim dŵad i chwara eto.'

'Tw. Waeth iti befo hi, fasa fo fawr o gollad tasa hi byth yn dŵad allan.'

'Ella na ddaw hi ddim allan, mae hi wedi cael hannar i lladd,' meddai Begw gan ei mwynhau ei hun.

'Deud ddaru' 'ti gynna dy fod ti'n meddwl i bod hi wedi cael cweir.'

'Wel mi glywis i sŵn. Mi ddo i efo chdi at yr afon y tro nesa Robin.'

'Na, ddoi di ddim, nid lle i genod ydi afon.'

'Hitia befo Begw, mi gei ddŵad efo mi i'r dre, ryw ddiwrnod.'

' 'D oes arna i ddim eisio mynd i'r dre.'

Wrth deimlo blinder ei choesau a chofio strydoedd poethion y dref, aeth yn ystyfnig. Nid oedd neb am adael iddi gael dim yr hoffai ei gael, na mynd am dro, na chael mynd at yr afon, na chael credu ei chelwydd ei hun. Teimlai'n druenus.

Dyma'i mam yn edrych ar y cloc.

'Sobrwydd annwyl! Mi fydd ych tad yma gyda hyn a minna heb roi'r tatws yn y lobscows.'

Rhuthrodd o gwmpas ei gwaith. Robin erbyn hyn wedi codi un droed ar y gadair, ei ben yn gorffwys yn ôl ar ei chefn, ac yntau'n edrych i'r seilin, wedi blino'n braf. Yr oedd Begw a'i llaw dan ei phen ar y bwrdd yn syllu i'r tân, wedi blino'n boenus fel arall, ac yn dyheu am fynd i'w gwely. Ond nid oedd wiw iddi ddweud hynny wrth ei mam, neu yno y câi fynd cyn i'w thad ddyfod adref, ac aros ynddo drannoeth efallai. Ceisiai edrych yn siriol a throes ei phen i edrych ar Robin. Yr oedd o mor flêr, ac mor ddihitio ac mor hapus. Cenfigennai wrtho.

Fel pe na bai'n dweud dim byd, ac er mwyn dweud rhywbeth, meddai Robin, a'r fam erbyn hyn yn ffitio'r lobscows efo halen a'i chefn ato:

'Mi'r oedd Huws drws nesa wrth yr afon.'

'Yli di, mi roi i ti Huws, galwa di'r dyn yn Mistar Huws. Mae o'n ddyn da beth bynnag ydy i wraig o'.

'O, dyna fo. Mi'r oedd Mistar Huws i lawr wrth yr afon, yn cerddad yn ôl a blaen ac yn mwngial siarad efo fo'i hun.'

Dyma'r fam yn rhoi hanner tro oddi wrth y sosban fel agor gwyntyll ac yn dal llwy i fyny yn ei llaw.

'Y gelach bach yn sôn am dy gnau a dy silidóns, a dim yn deud peth pwysig fel yna. Mi fasa ambell hogyn yn rhedag adra efo'i wynt yn i ddwrn efo newydd fel yna.'

'Tw, 't ydi hynna ddim byd. Mae o'n hen arfer â siarad efo fo'i hun wrth yr afon.'

'Y creadur gwirion. Mae arna i ofn wir y rhydd y dyn yna ben ar i fywyd ryw ddiwrnod.'

Tawelwch wedyn, a Begw yn dal i syllu i'r tân.

'Ydi pregethwrs yn bobol dda?' – oddi wrth Robin.

'Wel ma nhw i *fod* yn dda beth bynnag.'

' 'D ydw i ddim yn meddwl fod Mr. Huws drws nesa yn ddyn da *iawn.*'

'Pam wyt ti'n deud hynny?'

Tynnodd Begw ei llaw o dan ei phen ac eisteddodd yn syth.

'Mae Mr. Huws yn rhegi weithia.'

'Pwy ddeudodd?'

'Mi clywis i o fy hun, wrth roi cweir i Wil y Fedw.'

*'Roth* o gweir i Wil y Fedw?'

'Do, am ddal iâr eisio gori o dan y pistyll.'

'Mi 'nath yn iawn.'

'Hwre! Da iawn Mr. Huws!' ebe Begw.

'Ella mai dyna'r unig siawns mae'r creadur yn i gael i regi ac i roi cweir i neb, a faswn i'n meddwl bod yn rhaid i *brygethwyr* gael rhegi weithia. Mi fasa'n ollyngdod mawr i Mistar Huws druan.'

'Be'di gollyngdod mam?' ebe Begw.

'O wyddost ti, cael rhwbath allan sy wedi bod i mewn am hir.'

'Dyna chdi, mi'r wyt ti wedi dallt hi.'

Yr oedd Robin bron wedi mynd i gysgu erbyn hyn, a thawelwch diwedd dydd yn dechrau cau am y gegin. Yr oedd yr haul ar fin diflannu dros Sir Fôn, ac yn edrych fel petai am ail godi'i ben cyn mynd o'r golwg. Dyma sŵn traed eto, a'r munud nesaf daeth y tad i lenwi'r cynddrws ac i guddio'r haul o'r golwg.

'A sut buo hi efo Begw heddiw?'

'Dim llawar o hwyl,' ebe'r fam.

'Be' oedd yn bod felly?'

'Methu cyd-dynnu mae hi a hogan drws nesa' yna.'

'Biti, ond mi gallith y ddwy toc. Be oedd yn bod felly?'

'O fel y gelli di feddwl. Mair yn cael ei thynnu i'r tŷ am wario dima heb i mam ddweud y câi hi.'

'Hynny bach.'

'A mi gafodd Mair gweir iawn gin i mam nes oedd hi'n sgrechian dros y tŷ,' ebe Begw.

A chafodd hithau, Begw, beth ddwedodd ei mam hefyd? O ie, ollyngdod wrth daflu ei dymuniad i fyny yn gelwydd twt cyfa. Gwelodd ei mam yn rhoi winc ar ei thad, ond ni ddeallodd ystyr y winc honno.

'Mae arna i eisio lobscows mam.'

'Dyna rwbath go lew wir. Mi 'r wyt ti wedi cael stumog wedi bod allan beth bynnag.'

Prin y gallodd orffen ei swper chwarel heb fynd i gysgu, ac er mor wan a blin ei choesau, yr oedd yn braf cael syrthio i feddalwch derbyniol y gwely plu, a chlywed y pistyll yn dal i dywallt ei ddŵr i'r pwll a'i suo i angof o'r diwrnod siomedig.

* * * *

Ymhen oriau dyma sgrech o'r siamber gefn. Begw yn gweiddi dros y tŷ wedi cael hunllef ofnadwy. Wil y Fedw yn dal Mair drws nesa' gerfydd ei thraed o dan y pistyll, Mistar Huws yn rhegi Wil nerth ei ben, a'i farf wedi troi yn glaerwyn o gwmpas ei wyneb, a Mrs. Huws yn rhedeg o'r tŷ a thaflu Mistar Huws i'r pwll. Ond yr oedd ei mam yno mewn eiliad, a hithau yn deffro.

'Hen bobl gas ydyn nhw i gyd bob un wan ohonyn nhw. Hen bobol frwnt. Robin a phawb.'

'Dyna fo. Dyna fo. Dim ond breuddwyd oedd o.

1954

# Marwolaeth Stori

Tair noson cyn y Nadolig, y noson y buasai Begw yn edrych ymlaen ati ers wythnosau. Hen amser cas oedd y Nadolig, yn enwedig noson cyn y Nadolig. Nid oedd fawr o bleser mewn edrych ymlaen at y Nadolig pan oedd yn rhaid i chwi fynd ar ben llwyfan ac adrodd hen beth mor wirion â

> ' 'R wyf fi yn fwy na Doli,
> A dada'n fwy na fi,
> Ond nid yw dada'n tyfu
> Na Doli, welwch chwi.'

Mi wyddai pawb, siŵr iawn, ei bod hi'n fwy nag unrhyw ddol (nid oedd ganddi un ei hun) a bod ei thad yn fwy na hi. A 'doedd hi erioed wedi galw ei thad yn 'dada.' Beth pe bai hi'n anghofio fel y tro cynt, a chael drwg gan ei mam, neu beth pe bai ei phais yn dŵad i lawr fel Lisi Jên, Pen Lôn? Medrai weld y bobl o'i blaen yn rhythu arni fel pe bai llew wedi eu dychryn, dim ond am ei bod wedi anghofio, a gwefusau ei mam yn symud ac yn dweud y geiriau. Ond yr oedd yn rhy hwyr, yr oedd wedi anghofio, ac am fod y beirniad mor ffeind, mi aeth i grio. Beth pe digwyddai hynny nos drennydd eto?

Ond yr oedd heno yn beth braf, heno oedd ei Nadolig hi. Yr oedd yn cael aros ar ei thraed yn hwyr a'r plant eraill yn gorfod mynd i'w gwelyau, ac yr oedd Bilw yn dyfod yno – Bilw na byddai byth yn edrych yn gas, Bilw na chwarddai o hyd, Bilw a ddywedai: 'Lle mae Begw?', fel pe buasai wedi chwilio'r ddaear cyn dyfod o hyd iddi. Eisteddai wrth y tân yn llawn disgwyl, gan gnoi ei hewinedd tu cefn i'w mam a osodai'r llestri ar y bwrdd. Yr oedd aroglau cŵyr melyn lond y gegin, y dodrefn yn disgleirio a'r teils coch a du ar y llawr yn dywyll gan sebon a chadach. Gorweddai cysgodion ar ben draw y gegin fel eryr mawr yn lledu ei esgyll. Y tu ôl i'r cysgodion yr oedd darluniau teidiau a neiniau, ewythrod a modrabedd, marwnadau mewn fframiau i aelodau o'r teulu a dreuliasai lawer Nadolig yn eu beddau. A thu ôl i hynny, yn y siamberydd tywyll, y plant lleiaf a'u breuddwydion yn annelwig iawn am y Nadolig a'r hen ŵr a ddeuai â'i sach ar ei gefn i lawr y simnai. Nid oedd arnynt hwy ofn y cyfarfod llenyddol. Nid oeddynt ddigon hen. Uwchben y bwrdd a'r llestri swper hongiai cawell y caneri gan ysgwyd ôl a blaen a symud ei batrwm rhwyllog oddi ar y bowlen siwgr ar y plat bara ymenyn. A Dic, y caneri, a'i ben yn gam yn edrych arnynt. Yr oedd tân mawr coch yn y grât a'r cochni yn rhedeg yn araf i'r marwor a ymestynnai'n bell i fyny'r simnai. Ychwanegid at olau'r aelwyd o dan y simnai fawr gan sach siwgr gwyn a roddasid ar y matin newydd. Yn y twll mawn wrth ochr y popty yr oedd y gath yn cysgu yn dorch. Ar bolyn y cyrten crogai dwy long, yr unig deganau y medrwyd eu cadw erioed am mai anrhegion drud rhyw berthynas gwell ei fyd na hwy oeddynt. O'r tu allan codai awel o wynt weithiau, a deuai ei chwynfan i'r tŷ megis cwyno gwan dyn claf.

Yr oedd Dafydd Siôn wedi cyrraedd ac yn eistedd yn y gadair freichiau. I Begw nid oedd Dafydd Siôn yn ddim, ddim ond hen ddyn â barf lwyd, heb ddannedd, yn dweud straeon, ac yn edrych arni fel pe na bai yno. Weithiau, fe edrychai drwyddi heb na gwên ar ei wyneb, dim ond edrych arni a rhoi pwniad yn ei brest, a chwyrnu 'By' fel pe bai'n ceisio ei dychryn. Yr oedd hi wedi arfer â hyn. Byddai arni eisiau chwerthin wrth edrych ar ei wyneb, a phennau ei fochau yn codi fel afalau cochion o dan ei lygaid wrth iddo gnoi ei fwyd. Ond nid oedd yn hoffi edrych ar y diferyn dŵr a hongiai wrth gongl ei lygaid fel y diferyn dŵr ar ffrâm y ffenestr.

Toc, fe ddaeth ei Modryb Sara fel llong a sefyll ar ganol y llawr. Yr oedd ei hwyneb yn lân iawn a'i gwallt wedi ei dynnu'n dynn o dan ei het. Gwyddai Begw fod ganddi lot o bethau o dan ei siôl, a dyma hi'n dechrau dadlwytho a'u rhoi ar y bwrdd, afalau, orenau, hancetsi poced, yr un pethau bob blwyddyn. Na wir, dyma rywbeth arall yn dyfod o dan y siôl mewn papur sidan, crafat i Begw. Dyma'r tro cyntaf iddi gael dim byd fel hyn, dim ond rhyw hances boced a gâi o hyd, ond dyma rywbeth a fyddai yn y golwg i gyd, crafat gwyn a phwythau croes ynddo. Rhoes ef dros ei hysgwyddau a'i arogli a'i anwesu.

Ond y munud hwnnw dyna'r gwynt yn chwibanu yn y drws a Bilw yn sefyll yn y cysgodion ac yn gofyn: 'Sut ydach chi heno? Lle mae Begw?' A hithau'n rhedeg a'i dynnu at y setl. Plygodd wrth fyned dan y simnai fawr gan ei fod mor dal. Tynnodd ei gap clustiau a dal ei ddwylo o flaen y tân. Syllai Begw arno. Yr oedd mor ddel yn ei gôt a gwasgod noson waith a'i drywsus melfaréd. A'i wyneb mor lân a'i lygaid mor loyw, a'i ddannedd mor glws. Biti ei fod yn cnoi baco meddyliai Begw.

Ar ôl cael tamaid o swper, gwthiwyd y bwrdd yn ôl a gwneud cylch o gwmpas y tân, a gwyddai Begw y byddai Dafydd Siôn yn dechrau arni.

'Noson olau braf heno Sara, fydd arnat ti ddim ofn mynd adre, ddim yr un fath â'r noson honno ers talwm y bu agos i mi golli 'mywyd ar y mynydd yna.'

'Na fydd', meddai Modryb Sara yn reit glên, fel pe na chlywsai air o'r stori erioed o'r blaen.

'Dyna'r peth mwya' ofnadwy a fu ar fy mhen i erioed,' meddai Dafydd Siôn. ' 'R oedd Gwen fy ngh'nither yn sâl iawn yn y Twmpath ar ochr Moel y Grug, a mi wyddoch faint o ffordd a sut ffordd oedd o fan'no i Fryncyll, tŷ nhad a mam. Wel, mi gefais i fy ngyrru yno ar ôl swper chwarel ryw noson yn y gaeaf fel hyn, i edrych sut yr oedd Gwen, a siars i beidio ag ymdroi gan fod eisiau imi halltu'r mochyn yn lle 'nhad am ei fod o wedi agor ei fys yn y chwarel. 'R oedd hi'n dywyll fel bol buwch ddu, ond mi fedrwn weld pennau'r cloddiau, ac mi gyrhaeddais y Twmpath heb lawer o drafferth. Wedi eistedd am ryw ugain munud i chi, 'r oedd hi tua naw erbyn hyn, mi gychwynnais adre . . .'

' 'R ydach chi wedi anghofio dweud sut oedd Gwen,' meddai Begw.

'Hisht,' oddi wrth ei thad.

Chwerthin oddi wrth Bilw a Modryb Sara'n gwenu. Aeth Dafydd Siôn ymlaen:

'O, do wir, mi ddar'u imi anghofio. 'R oedd Gwen yn sâl iawn, a'r greadures yn griddfan dros y tŷ. Meddwl am hynny a wnaeth imi fethu â dirnad am funud ei bod hi'n dywyllach pan ddois i allan na phan es i mewn i'r tŷ. Ni fedrwn weld pennau'r cloddiau o bobtu'r llidiart erbyn hyn, ac mi wyddwn nad oedd yno ddim cloddiau nes cyrraedd Hafod Ddafydd. Mi wyddost b'le mae fan'no Bilw?'

'Gwn yn iawn.'

'Wedyn ydach chi'n gweld, 'r oedd gen i ddarn o fynydd i'w groesi heb ganllaw fel petai. Wel, 'doedd dim i'w wneud ond dilyn fy nhrwyn orau y medrwn i heb droi i'r chwith na'r dde; mi wyddwn y cyrhaeddwn i gartre' felly, rywsut, ac y down i at gloddiau'r Hafod. Unwaith y cawn i gyrraedd y rheini mi fedrwn ymbalfalu ar hyd-ddynt i Fryncyll. 'D oedd arna'i ddim llai nag ofn, a dweud y gwir, a 'roeddwn i'n falch o glywed sŵn y grug crin o dan fy nhraed a sŵn ceiniog yn fy mhoced. Yr oeddwn i'n disgwyl o hyd fynd yn bwcs i gloddiau'r Hafod ac yn wardio rhag imi daro fy nhrwyn yn sydyn yn y wal. Ond 'doedd yno na wal, na thŷ, na thwlc, dim ond y fi a'r ddaear a'r düwch. A dyma fi'n treio meddwl lle'r oeddwn i, a oeddwn i'n agos at y Twmpath neu at Fryncyll, neu rywle tua hanner y ffordd. A dyma fi'n cael rhyw deimlad rhyfedd, fel y bydd rhywun wedi deffro'n sydyn weithiau, ac yn methu gwybod pa un ai at y ffenestr ai at y pared y mae ei wyneb. A chyn y medrwn i gyfri' dau, 'r oeddwn i wedi colli fy nghyfeiriad ac yn methu gwybod pa un ai at y Twmpath ai at gartre yr oedd fy wyneb i. Mi benderfynais orwedd i lawr yn fan'no tan y bore, gweld y buasai hynny'n saffach na mynd i donnen, petawn i'n digwydd mynd y tu isa' i'r Hafod. Ond cofiais am y mochyn ac ail-ddechrau cerdded. Wel, mi gerddais ac mi gerddais, 'r oeddwn i'n meddwl 'mod i wedi cerdded am oriau heb gyrraedd glan yn unman . . .'

'Dyma fi'n clywed sŵn meddal ffrwd,' meddai Begw.

'Paid ti â mynd o 'mlaen i rŵan; ie, sŵn meddal ffrwd, a

dyma fi'n gweld bod siawns imi wybod p'run 'te 'nghefn i, ynte' f'wyneb i oedd tuag adref. Beth bynnag, mi blygais yn y fan lle'r oeddwn yn meddwl fod y ffrwd, a rhoi fy llaw yn y dŵr yn syth a'm bawd at i fyny. Mi wyddwn i os torrai'r dŵr ar gefn fy llaw i, 'mod i â'm hwyneb tuag adref, 'r oedd rhyw dric felly gynnom ni pan oeddem yn blant, ond 'd oedd hynny ddim yn tycio. A 'd oedd dim i'w wneud ond ail-ddechrau cerdded. Cerdded a cherdded a cherdded am hydion, fel top yn methu stopio. Ymhen sbel hir iawn, mi welwn olau gwan mewn tŷ a dyna fi'n 'nelu tuag ato. Erbyn mynd ato, beth oedd ond golau yn llofft Gwen yn y Twmpath. 'D oeddwn i ddim am eu poeni hwy wedyn. Mi drois fy nghefn ar y golau a'm hwyneb tuag adref, ac adref â mi'n syth yn yr un faint o amser ag a gymerodd i mi fynd yno. Ond mi ddigwyddodd un peth wedyn cyn imi gyrraedd y tŷ – rwan Begw, y fi sydd i ddweud hyn, nid ychdi – 'r ydach chi'n gwybod am y gornel deirsgwar yna wrth lidiart Bryncyll. Wedi imi gyrraedd fan'no dyma fi'n baglu ar draws rhywbeth, a syrthio ar fy hyd a'r rhywbeth yma'n gwegian odana i, a minnau fel petawn i'n nofio ar fôr, a beth oedd yno ond rhyw ddwsin o ferlod mynydd wedi troi am loches. Wir, dyna'r dychryn mwya' a ges i y noson honno. 'D oedd neb wedi cynhyrfu llawer yn y tŷ am 'mod i'n cyrraedd mor hwyr – wedi meddwl bod Gwen yn waelach – ac erbyn imi orffen halltu'r mochyn 'r oedd hi'n bedwar o'r gloch y bore, a 'd oedd hi ddim gwerth mynd i'r ciando wedyn.'

'Felly wir,' meddai tad Begw reit siriol.

Bu agos i Begw ddweud:

'Amen, dyn pren,
Hitio mochyn yn ei ben,'

ond cofiodd fod gan Dafydd Siôn gyfleth yn ei boced.

'Hwda, dyma chdi,' meddai o, 'am beidio â thorri i mewn yn rhy aml.'

'Diolch yn fawr, Dafydd Siôn, a mi wn i pam nad oedd rhoi eich llaw yn y dŵr yn gwneud y tric.'

'Pam?'

'Am na wyddech chi ddim pa ochr i'r ffrwd 'r oeddech chi, siŵr iawn.'

'Yli di, mi 'r wyt ti'n rhy glyfar ac yn rhy ifanc i ddweud "siŵr iawn" ar gynffon brawddeg.'

Brifwyd hi am eiliad, ond yr oedd Bilw'n gwenu wrth ei hochr.

'A oes gynnoch chi stori, Bilw?'

'Oes, un ffresiach na honna newydd ddŵad o'r popty. Mae hi wedi bod yn storm yn tŷ ni.'

'O' oddi wrth bawb.

' 'D wn i ddim i beth mae eisiau hen gwarfodydd llenyddol.'

'O! Bilw annwyl, yn meddwl yr un fath â fi,' meddai Begw wrthi ei hun.

Poerodd Bilw ei jacan jou i ganol y fflam.

'Mi aeth Siani acw efo'r plant am bractis adrodd at Grugfab neithiwr a'm gadael i yn y tŷ i edrych ar ôl y pwdin yn berwi. 'R oedd hi wedi rhoi llond tegell o ddŵr berwedig wrth ochr y sosbon a finnau i fod i roi dŵr i'r pwdin bob hyn a hyn. Ond mi eis i i gysgu, a'r peth nesa' a glywn i oedd clec dros y tŷ. (Methai fyned ymlaen gan chwerthin.) 'Wyddwn i ar y ddaear beth oedd yn bod, ond mi gofiais am y pwdin. A dyma fi'n edrach i mewn i'r sosbon, a 'd oedd yno ddim ond colsyn du ar y llechen ar waelod y sosbon a'r sosbon yn wen.'

Igiai Bilw gan chwerthin; a mor wir dywediad ei mam mai Bilw oedd yr unig un y medrai ei ddioddef yn chwerthin am ben ei stori ei hun. Ymunodd pawb arall ag ef, a chwerthin y buont heb fedru dweud dim. Credai Begw y byddai rhywbeth siŵr o dorri ym mrest Bilw. Stopiodd hi yn sydyn a gofyn:

'Gawsoch chi ddrwg gan Siani?'

'Naddo, mynd i grio ddar'u hi.'

'Pam?'

'Am fod yn rhaid iddi wneud pwdin arall, ac ella brynu sosbon newydd.'

'Ddar'u'r pwdin roi sbonc allan o'r sosbon i'r simdde?'

'Naddo.'

'Wel, do.'

A dechreuodd hithau chwerthin yn aflywodraethus

wrth ddychmygu am y pwdin yn neidio i fyny'r simnai a'r caead o'i flaen.

'Yli di,' meddai Dafydd Siôn, ' 'd wyt ti ddim yn mynd i ddweud peth fel yna. Cadw di at y gwir. Fel yna mae straeon yn mynd o gwmpas.'

'Do,' meddai Bilw, gan roi winc ar y lleill. 'Mi ddar'u'r pwdin neidio i fyny'r simdde a'r caead o'i flaen, ond 'd awn ni ddim ar i ôl o.'

'Fedrwn ni ddim mynd i fyny'r simdde ar i ôl o, siŵr iawn.'

Trodd ei llygad rhag edrych ar Dafydd Siôn.

'Am dy wely rwan,' meddai ei mam, 'mae Huwcyn yn dŵad.'

Fe aeth dan ocheneidio ac edrych ar Bilw. Rhoes yntau swllt yn ei llaw.

'Gobeithio y cei di rywbeth ato fo yn y Cwarfod Llenyddol.'

Ni fedrai Begw ddweud dim. Yr oedd Bilw'n rhy ffeind, ond O! i beth oedd eisiau iddo sôn am yr hen gwarfod yma?

Wedi i'w mam ei swatio yn y gwely, gofynnodd wedyn:

'Pam yr oedd Siani'n crïo?'

' 'D wn i ddim, druan â hi.'

'A druan â Bilw.'

'Ia, druan â Bilw, a druan â phawb sydd wedi blino.'

'Ydi Dafydd Siôn wedi blino?'

' 'D ydy' o ddim wedi blino dweud y stori yna 'ddyliwn i.'

'Mi 'r oedd o wedi blino cerdded reit siŵr.'

'Oedd, ond mi 'r oedd o'n ifanc yr adeg honno.'

'A ydy' Bilw'n ifanc?'

'Ydy, a Siani, ac mi anghofian' y pwdin cyn y 'Dolig nesa'.'

'Pam na wnaiff Dafydd Siôn anghofio colli'r ffordd ar y mynydd?'

'O, mi fydd Bilw yn ail-ddweud stori'r pwdin pan fydd o' tua'r pedwar ugain yma.'

'A fydd gynno *fo* ddiferyn o ddŵr yn hongian wrth i lygad?'

'Bydd reit siŵr.'

'Ac afal ar dop ei foch?'
'Ac afal ar dop ei foch.'
'Fydd o'n hyll?'
'Rwan, rwan, 'd'ydy' Dafydd Siôn ddim yn hyll.'
Cusanodd ei mam a gwaeddodd 'Nos dawch' ar y lleill.
'Nos dawch, Begw.'

Ni fedrai gysgu. Deuai sŵn y siarad o'r gegin fel sŵn gwenyn yn yr haf, ac ambell 'Ha, ha' oddi wrth Bilw yn ei ganol.

Rhaid ei bod wedi cysgu beth, achos yr oedd pob man yn ddistaw. Cododd ac agorodd ddrws y siamber. Yr oedd y cadeiriau'n wag yn y gegin ac yn edrych fel pe bai rhywrai wedi eu gadael am byth. Aeth hithau atynt ac eistedd ar bob un yn ei thro ac at y setl, lle'r oedd ôl trywsus melfaréd Bilw ar y glustog. Yr oedd y lamp wedi ei diffodd, ond deuai llygedyn o oleuni o'r grât ar y sach. Agorodd y gath ei llygaid yn y twll mawn, a chaeodd hwy drachefn. Cysgai Dic â'i ben yn ei blu a siglodd ei glwyd yn ysgafn. Ond nid oedd patrwm ar y bwrdd mwyach.Yr oedd y marwor yn llwyd, ond yno yn y canol yr oedd jacan jou Bilw, yn reit debyg i'r pwdin a losgwyd. Yfory, byddai wedi mynd i ganlyn y lludw a byddai Bilw yn y chwarel.

Nos drennydd, byddai hithau'n crynu gan ofn ar ben y llwyfan, ofn anghofio, ofn i'w phais ddisgyn, gweld y cannoedd pobl o'i blaen fel planced lwyd a lot o fwclis disglair arni, yn edrych i gyd arni hi, fel petai hi'n rhyfeddol, ac yn barod i'w llyncu os anghofiai. O! diar pam na fuasai pob noson fel heno a dim eisiau cofio.

' 'R wyf fi yn fwy na Doli . . .?' Aeth yn ôl i'w gwely ac wrth iddi roddi ei phen ar y gobennydd, disgynnodd un marworyn a'i stori gydag ef i'r twll lludw, a bu tawelwch mawr.

1959

# Te yn y Grug

'Ga' i weld o?' meddai Begw wrth ei mam a mynd ar ei phennau gliniau ar gadair yn y tŷ llaeth.

Jeli oedd yr 'o', peth newydd sbon i fam Begw ac i bob mam arall yn yr ardal. I Begw, rhyfeddod oedd y peth hwn a oedd yn ddŵr ar fwrdd y tŷ llaeth yn y nos ac yn gryndod solet yn y bore, ond yn fwy na hynny yn beth mor dda i'w fwyta. Neithiwr, yr oedd ei mam wedi gwneud peth coch ar wahân mewn gwydr hirgroes iddi hi ei gael i fynd am de parti i'r mynydd grug efo Mair y drws nesa'. Yr oedd mam Mair am wneud peth iddi hithau, meddai hi. Gobeithiai Begw y cadwai mam Mair ei gair, oblegid mor fawr oedd ei heiddigedd meddiannol o'r jeli fel na fedrai feddwl ei rannu â neb. Yr oedd ei mam wedi deall hynny ac wedi ei wneud ar wahân yn y gwydr del yma.

'Y fi pia hwn i gyd ynte mam?'

'Ia, bob tamad, mi gei stumog yng ngwynt y mynydd, a mi wneith les iti.'

Lles oedd pob dim gan ei mam, nid y teimlad braf o'i glywed yn llithro i lawr ei gwddw yn oer. Ond yr oedd yna rywbeth arall hefyd – mi fedrai lartsio efo Mair ar gorn y jeli. Yr oedd Mair wedi lartsio digon yn yr ysgol efo'i thomatoes, ac wedi dweud mai hwy oedd wedi cael y tomatoes cyntaf yn yr ardal, ac o flaen neb yn y dre' o ran hynny, a Robin wedi gofyn iddi sut y gwyddai hynny a degau o filoedd o bobl yn byw yn y dre'.

'A dyma iti dipyn o frechdana i'w bwyta efo fo, a the oer mewn potal. A mi gei fenthyg dy sgidia gora heddiw am dro, yn lle dy fod chdi'n llusgo'r clocsiau mawr yna.'

'O, mi fydda i r'un fath â Mair drws nesa' rwan.'

'Dim ond yn dy draed gobeithio.'

Yr oedd Mrs. Huws y Pregethwr a Mair wrth y llidiart pan aeth Begw a'i mam allan.

'Wir,' meddai Mrs. Huws, ' 'd wn i ddim ydy hi'n dryst gadael i ddwy hogan wyth oed fynd 'u hunain i'r mynydd.'

'Fyddan' nhw ddim 'u hunain os byddan' nhw efo'i gilydd,' meddai ei chymdoges er mwyn tynnu'n groes.

'Ond beth petai rhyw hen dramp yn ymosod arnyn' nhw, fasa' dwy fawr gwell nag un?'

'Nid ar y mynydd y bydd trampars yn hel cardod, Mrs. Huws.'

'Mae digon ohonyn' nhw'n croesi'r mynydd pan fydd 'u sgidia nhw yn rhy ddrwg i gerdded y ffyrdd. A mae yna lot o hen hogia drwg o gwmpas.'

'Welis i 'rioed hogia drwg,' meddai mam Begw fel petai Robin ei mab yn angel.

'O wel, dim ond gobeithio'r gorau. Fe ddylsan ni fynd efo nhw,' meddai Mrs. Huws.

Ni buasai dim hwyl yn hynny, debygai Begw, a rhag ofn i Mrs. Huws gyflawni ei hawgrym, cychwynnodd, a Mair o'i lledol. Cawsant ganiatâd i fynd yn bennoeth gan mai i'r mynydd yr aent, a'u rubanau gwallt fel ieir bach yr ha' ar ochr eu pennau. Gwisgai Begw frat a'r ddwy ffrilen ar ei bennau ysgwyddau yn agor allan fel gwyntyll. Sylwodd hi nad oedd gan Mair olwg o fwyd yn unlle. Cariai fabi dol ar ei braich, a dyna'r cwbl. Yn awr dechreuodd penbleth i Begw, y penbleth hwnnw a ddeuai i'w rhan o hyd ac o hyd. Beth oedd orau i'w wneud? Ni allai fwyta ei jeli a'i brechdanau ac edrych ar Mair wrth ei hymyl heb ddim, ac yr oedd yn benderfynol na châi ddim o'i jeli. Gallai gynnig brechdan a diod iddi.

'Mae gin i jeli,' meddai yn gynnil.

'Twt, 'd oes dim byd yn hwnnw. Hen beth rhad ydy o. Mae'n well gin i domatoes.'

'Oes gynnoch chi rai efo chi?'

'Nag oes.'

Disgynnodd gwep Begw. Ofnai y byddai'n rhaid iddi rannu ei jeli.

Ychydig bach cyn troi i'r mynydd, pwy a welsant ar y ffordd ond Winni Ffinni Hadog, yn sefyll a'i breichiau ar led fel petai hi'n gwneud dril.

'Chewch chi ddim pasio,' meddai hi yn herfeiddiol.

A dyma'r ddwy arall yn ceisio dianc heibio iddi, ond yr oedd dwy fraich Winni i lawr arnynt fel dwy fraich soldiwr pren. Wedyn dyna hi'n gafael yn llaw rydd pob un ac yn eu troi o gwmpas.

' 'R ydw' i yn dŵad efo chi i'r mynydd,' meddai.

'Pwy ddeudodd y caech chi ddŵad?' meddai Mair.

'Sut ydach chi'n gwbod mai i'r mynydd ydan ni'n mynd?' oedd cwestiwn Begw.

'Tasat ti yn fy nabod i, fasat ti ddim yn gofyn y fath gwestiwn.'

'Ydy o'n wir ych bod chi'n wits?' ebe Begw.

'Ddyla hogan bach fel chdi ddim holi cwestiyna'.'

Edrychodd Begw arni. Gwisgai ryw hen ffrog drom amdani, a brat pyg yr olwg heb ddim patrwm arno, dim ond dau dwll llawes a thwll gwddw, a llinyn crychu drwy hwnnw. Ei gwallt yn gynhinion hir o gwmpas ei phen ac yn disgyn i'w llygaid. Yr oeddynt wedi troi i'r mynydd erbyn hyn, a rhedai awel ysgafn dros blu'r gweunydd gan chwythu ffrog ysgafn Mair a dangos y gwaith edau a nodwydd ar ei phais wen. Fflantiai godre cwmpasog ffrog Winni o'r naill ochr i'r llall fel cynffon buwch ar wres. Tarawodd ei chlocsen ar garreg.

'Damia,' meddai hi yn ddistaw, ac yna yn uwch, 'yn 't ydy o'n beth rhyfedd ych bod chi'n gweld sêrs wrth daro'ch clocsan ar garrag?'

Ni allai Begw gredu ei chlustiau, ac wrth na chlywodd Mair yn rhyfeddu na gwrthwynebu, penderfynodd nad oedd wedi clywed y rheg. Hefyd, yr oedd penbleth rhannu'r jeli yn mynd yn anos. Byddai'n rhaid iddi gynnig peth i Winni rwan.

'Mi 'r ydw i wedi blino'n lân, mae arna' i eisio bwyd,' meddai Winni, gan dynnu ei dwylo o ddwylo'r ddwy arall. 'Mae'r clwt glas yma wedi'i neud ar yn cyfar ni.' Ac eisteddodd ar glwt glas o laswellt yng nghanol y grug.

'Rwan steddwch.' meddai fel swyddog byddin.

Ni allai'r ddwy arall wneud dim ond ufuddhau, fel petaent wedi eu swyngyfareddu.

'Fuoch chi 'rioed yn Sir Fôn?' meddai Winni, gan edrych tuag at yr ynys honno.

'Mi fuom i efo'r stemar bach,' meddai Mair.
'Fuom i 'rioed,' meddai Begw.
'Na finna,' meddai Winni, ond mi 'r ydwi am fynd ryw ddiwrnod.'
'Yn lle cewch chi bres?' gofynnodd Mair.
'Mi 'r ydw i'n mynd i weini, wedi i mi adael yr ysgol y mis nesa'.'
'I b'le?' gofynnodd Begw.
''D wn i ddim. Ond mi faswn i'n licio mynd i Lundain, yn ddigon pell.'
'Fasa arnoch chi ddim hiraeth ar ôl ych tad a'ch mam?'
'Na fasa, 'd oes gin i ddim mam iawn, a ma gin i gythral o dad.'
Caeodd Mair ei llygaid a'u hagor wedyn mewn dirmyg. Gwnaeth Begw ryw sŵn tebyg i sŵn chwerthin yn ei gwddw, gan edrych yn hanner edmygol ar Winni.
'Mi wneith Duw ych rhoi chi yn y tân mawr am regi,' meddai Mair.
'Dim ffiars o beryg. Mae Duw yn ffeindiach na dy dad ti, ac yn gallach na'r ffŵl o dad sy gin i.'
'O' meddai Mair wedi dychryn, 'mi ddeuda i wrth tada.'
'Sawl tad sy gin ti felly?'
'Tada mae hi'n galw ei thad, a finna y 'nhad,' meddai Begw.
'A finna yn lembo,' meddai Winni.
'Bedi lembo?'
'Dyn chwarter call yn meddwl i fod o'n gallach na neb. Tasa fo'n gall, fasa fo ddim wedi priodi'r cownslar dynas acw.'
'Nid y hi ydy'ch mam chi felly?'
'Naci, mae fy mam i wedi marw, a'i ail wraig o ydy hon. Ffŵl oedd fy mam inna hefyd. Ffŵl diniwad wrth gwrs.'
'O', meddai Begw, 'bedach chi'n deud peth fel yna am ych mam?'
'Wel, mi'r oedd hi'n wirion yn priodi dyn fel nhad i gychwyn, ac wedi'i briodi fo, yn cymryd pob dim gynno fo. Mi'r oedd yn dda i'r gryduras gael mynd i'w bedd. Ond mae yna fistar ar Mistar Mostyn rwan.'
'Pwy ydy Mistar Mostyn?'

‘ ’D wn i yn y byd. Rhyw stiward chwarel reit siŵr.’

Ochneidiodd Begw, ac edrychodd ar wyneb Winni. Yr oedd ei hwyneb yn goch erbyn hyn, ac edrychai dros bennau’r ddwy leiaf i gyfeiriad y môr. Yr oedd natur camdra yn ei cheg, a chan ei bod yn gorfod taflu ei phen yn ôl i daflu ei gwallt o’i llygad, yr oedd golwg herfeiddiol arni. Pan oedd Begw yn meddwl pa bryd y caent ddechrau ar eu te, dyma Winni yn dechrau arni wedyn.

‘Fyddwch chi’n breuddwydio weithiau?’

‘Bydda’ yn y nos,’ meddai Begw.

‘O na, yn y dydd ydw i’n feddwl.’

‘Fedrwch chi ddim breuddwydio heb gysgu.’

‘Mi fedra i,’ meddai Winni.

‘Peidiwch â gwrando arni’n deud clwydda,’ meddai Mair.

Ond yr oedd Begw yn gwrando a’i cheg yn agored, a Winni fel rhyw fath o broffwyd iddi erbyn hyn, yn edrych yr un fath â’r llun o Daniel yn ffau’r llewod.

‘Fydda’ i’n gneud dim ond breuddwydio drwy’r dydd,’ meddai Winni, ‘dyna pam mae gin i dylla yn fy sana, a dyna lle bydd gwraig y ’nhad yn achwyn amdana’i wrtho fo cyn iddo fo dynnu’i dun bwyd o’i boced wedi cyrraedd adra o’r chwaral. A mi fydda’i yn cael chwip din cyn mynd i ’ngwely.’

‘O-o-o,’ meddai Mair gydag arswyd.

Chwarddodd Begw yn nerfus.

‘ ’D oedd o ddim yn beth i chwerthin i mi. Ond un noson mi drois i arno fo, a mi gyrhaeddis i glustan iddo fo. ’R ydw’ i bron cyn dalad â fo erbyn hyn.’

‘A be wnaeth o?’

‘Fy nghloi fi yn y siambar heb ola na dim, a ches i ddim swpar. Ond mi’r oeddwn i wedi cael i dalu fo yn i goin. Ond chysgis i fawr am fod gwanc yn fy stumog i.’

‘Bedi gwanc?’

‘Miloedd o lewod yn gweiddi eisio bwyd yn dy fol di. Ond mi’r ydw i am ddengid ryw ddiwrnod i Lundain. Wedi dechra dengid yr ydw i heddiw, am fod Lisi Jên wedi bygwth cweir imi bora.’

‘Pwy ydy Lisi Jên?’

'Ond gwraig 'y nhad.'
'Be wyddwn i?'
'Dyna chdi'n gwbod rwan.'
Edrychai Mair i lawr ar ei ffrog heb ddweud dim, a Begw a holai. Cafodd ei brifo gan yr ateb olaf.
Aeth Winni ymlaen.
'Tendiwch chi,' meddai, dan grensian ei dannedd, 'mi fydda' i'n mynd fel yr awal ryw ddiwrnod, a stopia' i ddim nes bydda'i yn Llundain. A mi ga' i le i weini a chael pres.'
''T ydy morynion ddim yn cael fawr o bres,' meddai Mair.
'O, nid at grachod 'r un fath â chdi yr ydw' i'n mynd i weini, ond at y Frenhines Victoria 'i hun. A mi ga'i wisgo cap startsh gwyn ar ben fy shinón, a barclod gwyn, a llinynna hir 'dat odra fy sgert yn i glymu. A mi ga'i ffrog sidan i fynd allan gyda'r nos a breslet aur, a wats aur ar fy mrest yn sownd wrth froitsh aur cwlwm dolan a giard aur fawr yn ddau dro am fy ngwddw fi. A mi ga'i gariad del efo gwallt crychlyd, nid un 'r un fath â'r hen hogia coman sy fforma. A ffarwel i Twm Ffinni Hadog a'i wraig am byth bythoedd.'
Yna dechreuodd dynnu ym mhlanhigyn y corn carw a dyfai gan ymgordeddu'n dynn am fonion y grug. Tynnai a thynnai yn amyneddgar â'i llaw wydn, ac yna wedi cael digon, rhoes ef o gwmpas ei phen fel torch.
'Dyma i chi Frenhines Sheba,' meddai.
Ar hynny, dyma hi'n lluchio ei dwy glocsen ac yn dechrau dawnsio ar y grug, ei sodlau duon yn ymddangos fel dau ben Jac Do drwy'r tyllau yn ei sanau. Dawnsiai fel peth gwyllt dan luchio ei breichiau o gwmpas, a throi ei hwyneb at yr haul. Gafaelodd yng ngodre ei sgert ag un llaw a dal y fraich arall i fyny. Sylwodd Begw nad oedd dim ond croen noeth ei chluniau i'w weld o dan ei sgert. Toc dyna hi'n stopio, ac yn disgyn gan led-orwedd ar y ddaear.
'O mae'r bendro arna' i.'
'Cymwch lymad o de oer, Winni,' meddai Begw, 'mi wneith hwn les i chi.'
Yr oedd wedi cael y gair 'Winni' allan o'r diwedd, ac wedi symud cam ymlaen yn ei chydymdeimlad â hi.

Ar hynny cododd Winni ar ei heistedd.

'Doro'r fasgiad yna imi, 'd ydw i ddim wedi cael tamad o ginio.'

Ac fel person wedi colli ei synhwyrau dyma hi'n gafael yn y gwydr jeli a'r llwy ac yn ei lowcio i gyd, ac yn slaffio'r brechdanau. Yr oedd Begw wedi ei hoelio wrth y ddaear, a'r dagrau wedi neidio i'w llygaid. Gwenai Mair yn oer.

'A rwan,' meddai Winni gan godi a lluchio'r gwydr i'r fasged, ' 'rydw i am ych chwipio chi.'

Rhedodd Mair am ei bywyd, a gadael i'w dol ddisgyn i rywle. Ni allai Begw symud, dim ond edrych i wyneb Winni a'i golwg yn ymbil am drugaredd. Ond cyflawnodd Winni ei bygythiad yn ddiseremoni. Cododd ei dillad a'i chwipio. Sgrechiodd Begw a medrodd ddianc. Rhedodd i fyny'r mynydd dan grio, troes ei golwg yn ôl unwaith a gweld Winni'n rhedeg nerth bywyd ar ôl Mair. Ymlaen ac ymlaen yr aeth Begw, a'i chorff yn rhyfeddol o ysgafn, nes cyrraedd camfa haearn. Tros y gamfa a chyrraedd gweundir eang gwastad. Dal i redeg a chael ei bod yn mynd ar i lawr. Daeth dyffryn i'r golwg, ac afon yn rhedeg drwyddo. Stopiodd hithau ac eistedd ar fwsogl braf. Daliai i igian crio o hyd, a dechreuodd ebwch mawr arall wrth gofio ei chywilydd. Yr oedd yn druenus wrth feddwl bod neb heblaw ei mam wedi ei chwipio. Yna daeth teimlad arall, meddwl fel yr oedd wedi dechrau gweld rhywbeth y gallai ei hoffi yn Winni, yn lle ei bod fel pawb yn yr ardal yn ei chau allan fel tomen amharchus na fedrai neb gyffwrdd â hi ond efo fforch deilo. Ac yn sydyn hollol dyna Winni yn gwneud peth a brofai mai pobl yr ardal a oedd yn iawn. Stopiodd grio, a daeth tristwch tawel drosti. Gorweddodd ar ei hyd ar y ddaear gynnes, ac edrych ar yr awyr las a oedd fel parasôl mawr uwch ei phen. Efo chil ei llygad gallai weld cornel o Lyn Llyncwel fel darn o fap Iwerddon, a theimlai'n ddig wrth drwyn y mynydd a'i rhwystrai rhag gweld rhagor. Daeth rhyw deimlad braf drosti, mor braf oedd bod ar wahân, yn lle bod ymysg pobl. Yr oedd rhywbeth cas yn dŵad i'r golwg o hyd mewn pobl. Dyna Winni, wedi dechrau bod yn hoffus, ond na, yr oedd yn rhaid iddi ei hanghofio. Yr oedd y distawrwydd yma yn braf. Pob sŵn, sŵn o bell oedd o, sŵn cerrig yn mynd i lawr dros domen y chwarel, sŵn Llanberis, bref dafad unig ymhell yn rhywle, a'r cwbl yn gwneud iddi feddwl am ochenaid y babi wrth gysgu yn ei grud gartref. Aeth i gysgu yn hyfrydwch ei hamgylchedd. Yna clywodd sŵn agos, a rhywun yn cerdded yn felfedaidd ar hyd y ddaear. Cododd ar ei heistedd yn sydyn a gweld Robin ei brawd yn dyfod tuag ati, a'r fasged fwyd yn ei law. Bron nad oedd yn filen wrtho am dorri ar ei llonyddwch.

'Wel,' meddai Robin, 'mi ges i fraw.'

'Pam?'

'Meddwl dy fod chdi wedi mynd ar goll. Well iti ddŵad adra ar unwaith, ne mi fydd mam wedi cychwyn i chwilio amdanat ti.'

'T ydi hi ddim yn fy nisgwyl i rwan.'

'Mi fydd iti, achos 'r ydw' i wedi gyrru Mair adra 'i hun. Mi ddalis i Winni Ffinni Hadog cyn i Mair gael cweir.'

'Lle mae hi?'

'Pwy?'

'Winni.'

'Mae hi wedi mynd adra.'

' 'D wi ddim yn meddwl, achos 'r oedd hi'n deud i bod hi wedi dechra dengig o cartra heddiw.'

'Mae honna'n hen gân gin Winni, mae hi bownd o gyrraedd adra cyn nos iti.'

Ni soniodd yr un o'r ddau air am yr helynt ar y ffordd adre, Begw o gwilydd, a Robin am y tro yn deall teimladau ei chwaer. Pan gyraeddasant yr oedd eu mam efo Mrs. Huws a Mair yn sefyll wrth y llidiart, golwg mi-ddeudais-i-wrthoch-chi ar Mrs. Huws, a golwg bryderus iawn a droes yn wên groesawus ar wyneb ei mam.

'Mi ddylid rhoi'r Winni yna dan glo yn rhwla,' meddai Mrs. Huws, 'mae hi'n rhy hen i hoed o lawar, 'd ydy hi ddim ffit i fod ymysg plant.'

'Ella na fasa'n plant ninna fawr gwell petaen' nhw wedi'u magu yr un fath â hi, Mrs. Huws. Chafodd yr hogan 'rioed siawns efo'r fath dad, 'r oedd i mam hi'n ddynas iawn.'

'H-m,' meddai Mrs. Huws, 'ciari-dyms ydy'r lot ohonyn nhw. Tebyg at i debyg.'

'Mi ddylach *chi* o bawb wybod, Mrs. Huws,' meddai mam Begw gyda'i phwyslais gorau, 'mai gras Duw a'ch gyrrodd chi i ffynhonnau Trefriw a chwarfod Mr. Huws, ac nid Twm Ffinni Hadog.'

Yna cymerodd afael yn llaw Begw a'i thynnu trwy'r llidiart, a meddai hi wrth Robin pan droai Mrs. Huws a Mair at eu tŷ hwy.

'Well iti ddiolch i Mrs. Huws am gael y fraint o achub Mair o grafanga merch Twm Ffinni Hadog.'

A chaewyd drysau'r ddau dŷ.

Ond wedi cyrraedd y tŷ a chael eistedd yn y gadair, dechreuodd meddwl Begw weithio ar yr hyn a glywsai ei mam yn ei ddweud am fam Winni. 'Dynas iawn.' Daeth yr un cydymdeimlad tuag at Winni ag a gafodd ar y mynydd yn ôl iddi, pan siaradai am ei breuddwydion dydd. Daeth breuddwyd iddi hithau. Fe fynnai fynd i chwilio am Winni a chael ei mam i ofyn iddi ddŵad i de efo digon o jeli, er mwyn ei chlywed yn siarad. Mi fuasai ei mam hefyd wrth ei bodd yn ei chlywed yn siarad ac yn galw pobl yn grachod. Gallai weled wyneb Winni eto fel yr oedd pan siaradai am gael mynd i weini at y Frenhines. Ni allai anghofio'r wyneb hwnnw.

1959

# Ymwelydd i De

'Ydach chi'n licio Winni, mam?' meddai Begw, ymhen ychydig ddyddiau wedi'r te parti rhyfedd hwnnw ar ben y mynydd.

'Pa Winni?'

'Wyddoch chi, Winni ddaru fyta fy jeli fi ar ben y mynydd y diwrnod hwnnw.'

'O, Winni Ffinni Hadog.'

'Ia.'

Nid oedd Begw yn ddigon sicr o dymer ei mam i fentro defnyddio'r blas enw.

'Na, 'd ydw' i ddim yn 'nabod Winni yn iawn. 'R oeddwn i'n 'nabod 'i mam hi reit dda. Pam, beth, oedd?'

'Wedi bod yn meddwl ydw' i.'

'Meddwl am beth?'

'Am Winni.'

'Beth amdani hi?'

'D wn i ddim. Meddwl y baswn i – baswn i –. Bedi ciari-dyms, mam?'

'O, rhyw bobol amharchus.'

'Bedi amharchus?'

'O diar, be sy haru'r hogan? Wyt ti'n meddwl mai Geiriadur Charles ydw' i?'

Bu Begw yn ddistaw am dipyn, yn synfyfyrio i'r grât a'i mam yn trwsio ffustion. Wrth ei gweld felly, dyma ei mam yn meddwl y byddai'n well iddi geisio plymio i ddyfnderoedd y cwestiynau dyrys yma, ac wrth wneud, fe ganfu na wyddai hi ei hun yn iawn beth oedd amharchus a chiari-dyms. Cyn iddi gael diffiniad i'w phlesio dyma gwestiwn arall fel bollt.

'Ydan ni'n giari-dyms, mam?'

'Brenin annwyl, nac ydan gobeithio.'

'Ydi Winni yn giari-dyms?'

'Fedra hi ddim bod yn giari-dyms, dim ond yn giari-dym. Na, 'd ydw' i ddim yn meddwl bod Winni yn giari-dym.'

'Mi 'r oedd Mrs. Huws, y gweinidog, yn deud i bod hi a'i theulu.'

'Mae pawb yn giari-dyms i Mrs. Huws, ond hi ei hun a'i gŵr a Mair.'

'Mi'r ydan ni yn giari-dyms felly?'

'Ella i Mrs. Huws. Ond fasa neb arall yn ein galw ni yn giari-dyms nac yn amharchus.'

'Fasa pobol yn galw teulu Winni yn amharchus?'

'Rhai pobol ella, ond nid pobol sydd i fod i ddeud.'

'Pwy ynta?'

'Wel pobol dduwiol yr un fath â Mrs. Huws drws nesa sydd yn deud, ond Duw ddyla ddeud. Y Fo sy'n gwybod ac yn rheoli'r byd.'

'Bedi rheoli?'

'Edrach ar ôl rhwbath.'

'Wel 'd ydi Duw ddim yn edrach ar ôl petha yn dda iawn, yn nag ydi?'

'Paid â siarad fel yna, mae bai ar bobol.'

'Ar bwy?'

'Ar bobol yr un fath â Mrs. Huws, drws nesa, am fod yn rhy dda, a phobol fel Twm Ffinni Hadog a'i ail wraig am fod yn ddiog, ac yn frwnt.'

'Pam na neith Duw ddeud wrthyn nhw am fod fel arall.'

'Dim yn gwrando maen' nhw.'

'Ydan ni yn bobol dda, mam?'

''R ydan ni'n treio bod.'

'I be mae eisio inni dreio bod yr un fath â Mrs. Huws ynta?'

'Go drapia,' meddai'r fam, 'dyna chdi wedi gneud imi blannu'r nodwydd yma yn fy mys.'

Distawrwydd wedyn, a dim ond sŵn caled y nodwydd yn mynd trwy'r melfaréd. Ond nid oedd Begw wedi gallu sgwario pethau yn ei meddwl. Ni wyddai o gwbl pa un a oedd Winni yn amharchus yng ngolwg ei mam ai peidio, ac oherwydd hynny nid oedd yn sicr a fyddai'n beth doeth iddi ofyn a gâi Winni ddyfod yno i de. Penderfynodd fentro ar y peth anhawsaf yn gyntaf.

'Mam?'

'Wel?'

'Gaiff Winni ddŵad yma i gael te ryw ddiwrnod?'

'Fasa ddim ods gen i. Pam mae arnat ti eisio i chael hi?'

'Mi'r ydw i yn licio Winni.'

'A hitha wedi dy chwipio di a byta dy fwyd ti?'

'Ia, ond ydach chi'n gweld, mam, mi'r oeddwn i yn i licio hi cyn hynny. A mi'r oedd llewod yn i stumog hi, meddai hi. Y nhw oedd yn byta'r bwyd ynte?'

'Y gryduras! Mae'n rhaid nad oes yno ddim trefn ar fwyd.'

Wedi cael yr addewid, teimlai Begw ei bod yn ddigon diogel i rybuddio ei mam ar bethau eraill. Yr oedd arni gymaint o ofn i'w mam gael ei siomi yn Winni.

'Mae hi'n rhegi fel cath cofiwch. Mi ddaru ar y mynydd.'

'Siŵr gin i nad ydi hi'n clywad dim arall adra.'

'Biti ynte?

'Biti mawr.'

'Mae hi am fynd i ffwrdd i weini at y Frenhines Victoria, meddai hi.'

Chwarddodd y fam heb godi ei phen oddi ar y trywsus melfaréd.

'Ble ar y ddaear y câi'r gryduras bach ddillad i fynd i weini i'r dre heb sôn am Lundain?'

'O, tydi hi ddim am fynd i'r dre, mae hi am fynd i ffwrdd yn bell.'

'Wel rhag ofn iddi fynd well iti dreio cael gafael arni cyn gynted ag y medri di.'

Nid oedd y broblem yma wedi gwawrio ar Begw. Nid oedd bosibl cael gafael ar Winni yn un o gyfarfodydd y capel. Yr oedd hi fel diffyg ar yr haul yn almanac Robert Roberts, Caergybi, yn weledig yn y wlad hon ambell dro. Penderfynodd Begw fynd i gyfeiriad ei chartref. Nid âi i guro ar y drws. Byddai hynny yr un fath â mynd i ffau llewod. Gallai beidio â dyfod oddi yno yn fyw. Drannoeth mentrodd cyn belled â thŷ Winni. Yr oedd yn lle digon hawdd loetran o'i gwmpas heb i neb eich gweld, gan fod rhyw hanner canllath o ffordd drol rhwng y llidiart a'r tŷ. Âi iasau o bleser ac ofn i lawr ei chefn bob yn ail wrth nesáu at y llidiart, yr oedd arni eisiau gweld Winni, ac ar yr un pryd gobeithiai na welai hi y tro hwn, ond y gwelai hi y tro nesaf. Ond, wir, wedi cyrraedd y llidiart, gwelai Winni wrth ymyl drws y tŷ a phlentyn bach yn ei llaw. Ni wyddai beth fyddai orau ei wneud pa un ai mynd ati ai gweiddi oddi wrth y llidiart. Gallai'r naill neu'r llall gynhyrfu Winni a'i gyrru i lifeiriant o regfeydd. Penderfynodd y byddai ei chroen yn iachach wrth sefyll wrth y llidiart.

'W–W–' gwaeddodd.

Cododd Winni ei phen, a rhoi ail hwb iddo yn ôl, er mwyn gyrru ei gwallt o'i llygad. Syllodd am hir i gyfeiriad Begw, ac yna symudodd yn araf tuag ati, gan dynnu'r babi gerfydd ei law, ac yntau heb fod yn rhy sicr ar ei draed, ac yn troi ochr bellaf ei gorff ar osgo i gyfeiriad Winni wrth gerdded a'i droed yn camu i mewn. Sylwodd Begw fod tomen fawr o dail o flaen drws y beudy, yn codi yn uwch na'r drws, a chofiodd ddisgrifiad ei thad o ddyn diog, 'fod ei domen dail yn uwch na drws ei feudy.'

'Be sy arnat ti eisio?' oedd cyfarchiad Winni o'r tu mewn i'r llidiart.

'Mam sy'n gofyn ddowch chi i de i tŷ ni 'fory.'

Edrychodd Winni i lawr ei cheg gam ar Begw, fel petai wedi gofyn iddi a ddôi i'r Seiat. Yna yn hollol fawreddog, fel petai hi'n ferch i Arglwydd Niwbro, gofynnodd:

'Ym mhle'r wyt ti'n byw?'

Am eiliad teimlodd Begw mai hi oedd yn byw tu ôl i'r domen dail, a bod Winni wedi newid lle efo Mair drws nesa. Ond ymwrolodd:

'Ar hyd y lôn sy'n mynd draw oddi wrth y capal.'

'Yn ymyl tŷ'r pregethwr?'

'Ia, y drws nesa'.'

Cymerodd Winni amser i gysidro, yn hollol fel petai'r tai hynny rhy isel iddi dderbyn gwahoddiad iddynt.

'Ydi dynas y pregethwr yn debyg o ddŵad acw, tra byddan ni'n cael te?'

'Dyna'r peth dwaetha fasa hi'n i wneud.'

'Ol reit mi ddo i ynta. Ond 'd oes gen i ddim dillad crand,' meddai hi yn nawddogol.

‘ ’Does dim eisio dillad crand,’ meddai Begw heb allu cuddio ei balchder na rhagrithio fel Winni.

Dyma’r babi yn gwthio crystyn budr trwy’r llidiart a’i gynnig i Begw.

‘Dim diolch, cariad,’ meddai Begw, ‘ych brawd ydi o?’

‘Hanner brawd,’ atebodd Winni, ‘ond mae o’n beth bach reit annwyl.’

‘Bedi’ch enw chi?’

‘Sionyn,’ meddai yntau ac edrych ar ei draed, yn swil.

‘Gaiff Sionyn ddŵad efo chi ’fory,’ gofynnodd Begw.

‘ ’D oes arna’ i ddim eisio iddo fo ddŵad,’ meddai Winni yn siort, ‘pan fydda’ i’n mynd i fisit, ’d oes arna’ i ddim eisio babis wrth fy nghynffon.’

Yr un dillad oedd gan Winni amdani ag a oedd ganddi ar y mynydd. Efallai bod y brat wedi ei olchi, ond nid oedd wedi ei smwddio. Dillad yr un fath yn union oedd gan y babi, ffrog a brat dibatrwm, a’r un mor byg eu gwedd.

‘Ta-ta, Sionyn.’ Chwiliodd yn ei phoced, ond nid oedd yno ddim un lwmp o fferins i’w roi iddo.

Gwenodd yntau yn hynaws rhwng ffyn y llidiart, a lluchio ei grystyn i’r ochr arall.

‘Ta-ta, Winni, a chofiwch mi fyddwn ni yn ych disgwyl chi tua thri.’

‘Ol reit.’ Ac yn hollol ddiseremoni troes Winni yn ei hôl heb gymaint â gwên na diolch.

Trannoeth yr oedd Begw mewn gwewyr drwy’r bore ofn i dymer ei mam newid, ac iddi ddweud na châi Winni ddyfod, ofn na chaent jeli, ofn y byddai Winni yn rhegi cymaint nes dychryn ei mam. Mewn gair, ofn ei bod hi wedi gwneud camgymeriad wrth ofyn a gâi ddyfod. Aeth i sbecian o gwmpas y tŷ llaeth yn y bore pan oedd ei mam yn bwydo’r moch, a dyfod o hyd i’r jeli mewn powlen ar y llawr wedi sadio, a phlât ar ei wyneb. Pan welodd ei mam yn rhoi lliain ar y bwrdd ar ôl cinio, ac yn estyn y radell i hwylio gwneud crempog, fe wyddai fod pob dim yn iawn yr ochr honno. Cafodd un funud ofnadwy pan ddywedodd ei mam wrthi ei hun fwy na neb:

‘Mi fasa lobscows yn well pryd i’r hogan yna, wir, a hitha’ ar i chythlwng bob amsar.’

'Ydach chi ddim yn mynd i neud lobscows i de, yn nag ydach?' meddai Begw wedi dychryn, achos teimlai y dylai Winni Ffinni Hadog hyd yn oed gael te fel rhywun arall.

'O nag ydw', ond meddwl yr oeddwn i y gwnâi o fwy o les iddi na rhyw grifft o jeli, a fedar neb fyta llawar o frechdan efo crempog.'

'Gweitiwch chi nes gwelwch chi Winni yn byta,' meddai Begw wrthi hi ei hun.

Nid aeth oddi wrth benelin ei mam yr holl amser y bu'n gwneud y grempog. Dywedodd Robin nad oedd ef am aros i gael te efo Winni Ffinni Hadog, a dechreuodd Rhys grïo wrth ei glywed yn dweud. Felly diflannodd Robin ac aeth â'i frawd bach efo fo, peth anarferol iawn. Cysgai'r babi yn ei grud a'i freichiau i fyny yn y gwres.

Toc clywsant sŵn clocsiau ar lechi'r drws, ac yr oedd mam Begw yno o'i blaen yn dweud:

'Dowch i mewn, Winni,' yn groesawus.

Gwisgai Winni yr un dillad ond bod y brat yn wahanol, ac yr oedd sodlau ei sanau fel pe baent wedi eu tynnu at ei gilydd efo edau. Yr oedd ei hwyneb yn bur lân ac yn disgleirio, ond darfyddai'r lle glân yn union o dan ei gên, mewn llinell derfyn ddu. Yr oedd y cynhinyn gwallt a ddisgynnai i'w llygad ar y mynydd wedi ei glymu'n ôl gyda darn o galico. Safodd ar flaenau ei thraed ar garreg y drws, ac yna cerddodd ar flaenau ei thraed i'r tŷ.

'Dew, mae gynnoch chi le glân yma,' meddai, 'mae'n tŷ ni fel stabal.'

'Well i chi ddŵad at y bwrdd rwan,' meddai mam Begw gan dorri ar ei thraws.

'Mae gynnoch chi jeli eto – mae hi'n de parti arnoch chi bob dydd, mae'n rhaid.'

'Nac ydi,' meddai Begw, 'i chi mae hwn wedi'i wneud.'

'Fyddwn ni byth yn cael peth, 'r ydan ni fel Job ar y doman . . .'

'Twt, 'd oes dim llawar o ddim ynddo fo heblaw dŵr,' meddai Elin Gruffydd.

'Ches i ddim crempog er pan oedd mam yn fyw,' meddai Winni; 'tydi Lisi Jên byth yn gneud sgram.'

'Pwy ydi Lisi Jên,' gofynnodd mam Begw.

'Gwraig fy nhad. 'D ydi hi ddim yn fam i mi, trwy drugaredd. Mi fasa gin i gwilydd bod yn perthyn iddi hi.'

'Wel, mi ddylach i pharchu hi,' meddai Elin Gruffydd, 'a hitha wedi priodi efo'ch tad.'

'Parchu, wir. Sut medrwch chi barchu slebog? Hen gythral ydi hi . . .'

Dechreuodd Begw grynu, gan ofn yr âi'r rhegi yn waeth.

Aeth Winni rhagddi.

'Mi faswn i'n medru byw yn iawn efo hi, tasa hi'n gadael i mi llnau. Ond mae'r tŷ mor fudr nes mae arni hi ofn i mi weld pob man sydd ynddo fo, a neith hi ddim gadael i mi. Mae'r cwt mochyn yn lanach na'r tŷ.'

'Ond Winni, fedrwch chi ddim twtio tipyn arnoch chi ych hun?'

'Y fi ddaru olchi'r brat yma bore heddiw, a'i roi fo ar yr eithin i sychu, ond 'r oedd raid imi neud yn slei bach, ne faswn i ddim yn cael sebon. O, mae'r crempoga yma'n dda.'

'Cymwch ragor.' A chododd Elin Gruffydd dair arall ar y fforc. Dyna'r nawfed, meddai Begw wrthi ei hun.

'A rêl lembo ydi 'nhad. Mae o wedi gwirioni i ben ar Lisi Jên. Tasa mam yn fudr fel'na mi fasa wedi cael cweir gynno fo. Ond 'd ydi Lisi Jên yn gneud dim yn rong.'

'Faint sy er pan maen nhw wedi priodi?'

'Rhyw ddwy flynadd. Fuo fo fawr fwy na blwyddyn ar ôl i mam farw.'

'Dowch eto, Winni.'

A chymerodd hithau dair crempog arall.

'Neith Lisi Jên ddim codi i neud brecwast iddo fo cyn iddo fynd i'r chwaral. Mi orfeddith yn braf yn 'i gwely tan tua naw. A dydi o yn cwyno dim fod yn rhaid iddo fo neud 'i frecwast. Mi gododd mam tan aeth hi i fethu, a mi fydda'n griddfan gin boen wrth dorri brechdana i'w rhoi yn 'i dun bwyd o, a fynta'n deud: "Be ddiawl sydd arnat ti?" Mi fyddwn i yn codi weithia' ac yn gneud tân ond fedrwn i ddim torri brechdan.'

Yr oedd y sgwrs yn mynd i gyfeiriad gwahanol i'r hyn a obeithiasai Begw. Nid oedd Winni yn herfeiddiol fel yr oedd ar y mynydd, ac nid oedd golwg dawnsio arni heddiw.

'Fedrwch chi ddim dŵad i'r capal weithia', Winni,' gofynnodd mam Begw.

' 'D oes gin i ddim dillad, a 'd oes arna' i ddim eisio dŵad at ryw hen grachod fel dynas drws nesa' yma.'

'Tydi pawb ddim yn grachod, wyddoch chi.'

'Mae pawb yn troi 'u trwyna arna' i fel tawn i'n faw. Cytia clomennod ydi tai lot o'r rheiny hefyd.'

'Eisio i chi ddŵad a pheidio â malio ynddyn' nhw. 'D ydyn' nhw ddim gwell na chithau.'

'Nac ydyn', wir Dduw, faswn i ddim yn sbïo drwy gwilsyn ar rai ohonyn' nhw. Dyna i chi fodryb Lisi Jên, efo'i bwa plu a'i sgidia mroco a jiwals fel pegia moch wrth 'i chlustia', a mae hi'n fyw o ddled.'

'A mae hi'n mynd i'r dre' bob Sadwrn,' meddai Begw.

'Sut gwyddost ti?' meddai Winni.

'Mi fydda' i yn cael dima gynni hi am gario'i pharseli hi oddi wrth y frêc.'

'Dyna hi i'r dim, dima i ti, dim i siop y pentra yma a'r cwbwl i siopa'r dre'. Dyna i chi bedi ledi.'

Chwarddodd Elin Gruffydd.

'Dyna'r unig amser y bydda' i yn licio Lisi Jên, pan fydd 'i modryb hi yn troi 'i thrwyn arni hi. Mi fasa tynnu llun Lisi Jên a hitha' efo'i gilydd yn gwneud pictiwr da.'

Chwarddodd Winni, am y tro cyntaf er pan gyraeddasai. Aeth ymlaen wedyn:

'Crachod ydi'r rhan fwya' o bobol y lle yma, a maen' nhw'n medru edrach reit barchus ddydd Sul yn y capal. Ond biti na fasach chi'n gweld nhw hyd y mynydd yna yn y nos.'

Meddyliodd Elin Gruffydd y byddai'n well iddi dorri ar ei thraws yn y fan yma.

'Pryd y byddwch chi yn gadael yr ysgol, Winni?'

'Dipyn cyn y Nadolig, mi fydda' i yn dair-ar-ddeg yr adeg honno. A mi'r ydw' i am fynd i Lundain i weini – mynd yn ddigon pell.'

'Fasa dim gwell i chi fynd i'r dre' ne' rywla yn nes adra. Rhaid i chi gael dillad crand iawn i fynd i Lundain.'

'Llundain ne' ddim i mi. Mi gawn i olchi llestri a chap startsh gwyn am fy mhen. Mae yna selerydd mawr yn Llundain a gias yn 'u goleuo nhw, a phetha'r un fath â bocs yn cario'r bwyd i fyny i'r byddigions heb i neb 'i gario fo. A mi gawn i noson allan, a mi awn i i'r capal wedyn. Fasa neb yn fy 'nabod i yn fanno, na neb yn gwybod mod i'n ferch i Twm Ffinni Hadog.'

'Sut ydach chi'n gwybod yr holl hanes yma am Lundain, Winni?' meddai mam Begw wrth roi llwyaid arall o jeli ar ei phlât.

'Wedi darllan amdanyn' nhw yn slei bach yr ydw' i. Mi faswn i'n gwybod mwy onibai fod Lisi Jên fel gelan ar fy ôl i. Yn fy ngwely tua phump yn y bora y bydda' i'n cael y siawns ora', a mi fydda' i yn cuddio'r llyfr o dan y gwely peiswyn. Dim peryg' i Lisi Jên 'i ffeindio fo yn fanno. 'D ydi hi byth yn cyweirio'r gwely.'

'Ydach chi'n medru darllan Saesneg,' gofynnodd Begw.

'Dipyn bach, digon i ddallt sut le ydi Llundain.'

Rhythai Begw arni gydag edmygedd, a'r fam gyda thosturi.

'Ydach chi'n gweld,' aeth Winni ymlaen, 'taswn i yn mynd i weini i'r dre', mi wn i sut y basa hi. Mi fasa 'nhad yn dŵad i lawr i fenthyca fy nghyflog i fesul swllt er mwyn hel diod i'r hogsiad bol yna sy gynno fo, a faswn i yn gweld dim dima. Peth arall, crachod sydd yn y dre' hefyd. Pryfaid wedi hedag oddi ar doman ydyn' nhwytha 'r un fath â modryb Lisi Jên.'

'Ella bydd arnoch chi hiraeth wedi mynd i Lundain,' mentrodd Begw yn ochelgar. Bu Winni yn ddistaw am eiliad, yn syllu yn ddifrifol ar ei phlât.

'Basa, mi fasa arna' i hiraeth ar ôl un, Sionyn ydi hwnnw. Mae o'n hen beth annwyl, ond 'd oes neb yn malio dim ynddo fo ond y fi. Mae'ch babi bach chi fel y nefoedd o lân, a Sionyn bach fel toman dail. 'D ydi o byth yn cael mynd i'r lôn, mi fuaswn i'n cael i weld o weithia' taswn i'n mynd i'r dre'.'

'Eisio i chi fynnu cael golchi 'i ddillad o a'ch dillad ych hun, Winni, dim ods beth ddyfyd ych mam, er mwyn i chi gael mynd o gwmpas yn o ddel. Gymwch chi ragor o grempog?'

'Mi orffenna' i efo brechdan. Mi neith hyn wledd imi am fis. Biti na fasa Sionyn wedi cael tamaid.'

'Mi ddaru' mi ofyn i chi ddŵad a fo,' meddai Begw.

'Mi ro i dipyn o grempoga i chi fynd iddo fo,' meddai Elin Gruffydd.

'Fiw imi,' meddai Winni, 'ne' mi ga' i gweir gan Lisi Jên am fynd i hel tai.'

Yna cododd ei phen yn sydyn, pan glywsant sŵn traed ar y cowrt. Cyn iddynt gael llyncu eu poeri, yr oedd Lisi Jên, llysfam Winni, ar lawr y tŷ, yn gweiddi heb gymryd sylw o neb.

'Yn fan 'ma'r wyt ti ia, yn hel yn dy fol, a finna' heb neb i edrach ar ôl y plentyn yma.' (Yr oedd Sionyn ar ei braich.) 'Tyd adra y munud yma, iti gael taflu'r golch o'r siamberi. Cwilydd i chitha, Elin Gruffydd, i gynnwys peth fel hyn i'ch tŷ.'

' 'Steddwch,' meddai Elin Gruffydd reit hamddenol, gan afael ynddi, a'i thywys i gyfeiriad cadair. 'Mi gewch paned o de a chrempog rwan. Mi 'na i de ffres yn y tebot.'

Aeth Lisi Jên fel oen ac eistedd ar y gadair.

'Winni,' gwaeddodd Sionyn, a rhedeg at ei hanner chwaer. Dododd hithau ef ar ei glin, a dechrau ei fwydo oddi ar ei phlât ei hun. Cyn pen dim yr oeddynt yn ailddechrau yfed te eto, ond yr oedd yr awyrgylch yn hollol wahanol. Pawb yn edrych yn bur ddifrifol, ac eithrio Sionyn, a gâi ei fwyd fel cyw deryn o law Winni. Amlwg nad oedd blagardio ei llysfam yn cael dim effaith ar yr olaf, oblegid edrychai yn hollol hapus wrth ddandlwn Sionyn a'i fwydo. Ni allai estyn y crempogau yn ddigon buan i'w geg.

Wedi gorffen bwyta, cododd pawb.

'Diolch i chi,' meddai Lisi Jên reit ffwr-bwt.

Meddyliodd Begw oddi wrth ei hosgo fod Winni am wneud araith broffwydol cyn ymadael, ond y cwbl a ddywedodd oedd:

'Diolch yn fawr i chi, Elin Gruffydd, dyna'r pryd gora' ges i 'rioed. Mi fydd yn rhaid iddo fo 'neud imi am hir.'

Dywedodd hyn gan edrych ar ei llysfam, a golwg honno yn dweud, 'aros di nes doi di adra, mi gei di'r pryd gora'.'

Wrth iddynt droi oddi wrth y drws, meddyliai Elin Gruffydd mai slebog oedd y gair iawn am Lisi Jên. Wrth weld gwên hoffus Sionyn, cofiodd fod ganddi fferins yn y drôr, a rhedodd i'w nôl i'w rhoi iddo.

Aeth Elin Gruffydd i'w danfon at y llidiart, ac wrth gwrs, yr oedd yn rhaid i Mrs. Huws, y gweinidog, fod yn yr ardd, yn chwynnu lle nad oedd chwyn ac yn gweld pwy oedd ei hymwelwyr. Ond ni faliai Elin Gruffydd. Yr oedd rhywbeth heblaw meddyliau balch na difalch yn ei chalon, meddyliau digalon oedd y rheiny wrth weld y tri yn troi am y ffordd. 'Pam?' meddai wrthi ei hun, 'Pam?' Cododd ei llaw ar Sionyn.

Wedi mynd i'r tŷ bu Begw yn cynnal cwest ar yr ymweliad. Nid oedd yn hollol fel y tybiasai y byddai. Yr oedd hi wedi meddwl y buasai huodledd Winni wedi codi i'r tir ag ydoedd ar y mynydd, neu'n uwch. Ond fflat iawn oedd Winni. Efallai ei bod hi wedi ei gwneud yn ddigalon wrth sôn am hiraeth. Nid oedd mynd oddi cartref yn beth hawdd hyd yn oed i Winni a oedd yn ei gasáu. Tybed a feiddiai hi ofyn cwestiwn i'w mam.

Eisteddai Elin Gruffydd hithau, yn synfyfyrio, a'r babi ar ei glin yn cael ditan.

'Oeddach chi yn licio Winni, Mam?'

'Oeddwn, mae'r hogan yn iawn, tasa hi'n cael chwarae teg. A Sionyn bach yna, 'y ngwas i.'

'Mae Winni yn ffeind wrtho fo yn 'tydi?'

'Ydi, 'd oes neb arall mae'n amlwg. Ond mae Mrs. Huws drws nesa' yn iawn yn un peth.'

'Bedi hwnnw?'

'Mae Winni yn llawar hŷn na'i hoed. Ond digon hawdd inni siarad. Fuo hi 'rioed yn blentyn mae'n amlwg. Y gamp iddi hi fydd cael yr afael rydd oddi wrth Lisi Jên a'i thad. Ond os ydw' i yn 'nabod pobol, mae Winni siŵr o ffeindio rhyw ffordd o gael edrach ar 'i hôl 'i hun ryw ddiwrnod.'

'Ac ar ôl Sionyn, ynte mam?'

'Ia.'

'Ella neith Duw edrach ar i hola nhw yn well nag ydan ni'n meddwl.'

'Ella.'

Eithr y peth mawr i Begw oedd fod ei mam yn hoffi Winni. Nid oedd hi wedi gwneud camgymeriad wrth ofyn a gâi Winni ddŵad i de.

1955

# Dianc i Lundain

Safai Begw wrth y llidiart wedi sorri am na chawsai fynd i hel mwyar duon gyda Robin ei brawd ar ôl cinio. Dywedasai hwnnw nad oedd hogan wyth oed yn ddigon 'tebol i fynd trwy fieri wrth ben ffrydiau ar ôl mwyar duon mawr, ac nad oedd rhai bach yn werth cario piser bach chwarel cyn belled. Aethai hithau i'r siamber gefn i strancio, ac wrth weld na thalai hynny aeth at ei dol i chwilio am gysur, a daliai'r ddol honno gerfydd ei choes yn awr wrth edrych i fyny ac i lawr y ffordd i chwilio am ryw gysur arall.

Yna gwelodd rywbeth tebyg i frân fawr yn dyfod wrth y capel. Gwnaeth y frân lwybr syth at Begw a dweud:

' 'R ydw i'n dengid o iawn y tro yma. 'R ydw i wedi dŵad i ben 'y nhennyn. Tyd Begw, mi awn ni.'

Rhoes Begw luch i'r ddol dros ben gwal yr ardd, a neidiodd i law Winni Ffinni Hadog, a honno yn cymryd gafael lipa yn ei llaw, heb edrych arni nac edrych i unman ond ar y ddaear, gan gerdded fel petai ar grwsâd.

'Mae'r cythral gin Lisi Jên wedi mynd dros ben llestri, a 'nhad yn ddwl fel mul yn gwrando arni. Ond roth o ddim cweir i mi y tro yma. Mi'r oeddwn i trwy'r drws fel chwip. Dŵad rwbath.' Hyn heb symud ei phen.

' 'D oes gin i ddim byd i ddeud.'

'Dŵad fod Lisi Jên yn hen gnawes.'

'Mae Lisi Jên yn hen gnawes.'

'Dyna chdi. Mae clywed rhywun arall yn i ddeud o yn help.'

Dyma Guto Trwyn Smwt a Wil Coesau Bachog yn dyfod heibio i'r gornel.

'Winni Ffi-nni – Winni Ffi-nni,' canent mewn tôn hirllaes.

'Dos di yn dy flaen yr hegla cam. Fuo 'nhad i 'rioed allan yn y nos yn dwyn tatws,' ebe Winni heb droi ei phen, ac yn yr un dôn â phetai hi'n ymholi ynghylch iechyd perchennog y coesau bachog.

Troes y ddwy i'r mynydd a cherdded tu ôl i'w gilydd fel dwy ddafad, a thu ôl ffrog gwmpasog Winni yn fflantio fel cynffon y creadur hwnnw. Yr oedd tawch y bore wedi cilio, ond arhosai peth edafedd y gwawn o hyd ar y brwyn yn y corneli. Yr oedd yr haul yn gynnes ar eu gwariau a thaflai ei oleuni i'r mân byllau yn y gors. Nid oedd digon o awel i ysgwyd plu'r gweunydd, ac yr oedd pob man yn ddistaw heb gymaint â sŵn llechen yn disgyn ar hyd tomen y chwarel. Prynhawn Sadwrn ydoedd.

'I ble'r ydach chi'n mynd, Winni?'

'I Lundain i weini.'

'Ond 'd oes gynnoch chi ddim bocs tun a dillad yno fo.'

'Hitia di befo, os disgynna 'i yn Llundain, mi gymerith rhywun drugaredd arna i, 'd ydw i'n cael dim trugaredd gin neb yn fan 'ma.'

Lluchiai Winni'r geiriau hyn i'r tu ôl tuag at Begw heb droi ei phen o gwbl.

'Mi geith y Lisi Jên yna weld wedyn. Mi fydd yn rhaid iddi dynnu'r gwinedd o'r blew, ac nid diogi ac yfed te o flaen y tân trwy'r dydd.'

Distawodd ennyd, ac ail ddechrau megis wrthi hi ei hun rhwng ei dannedd.

'A mi gaiff Twm Ffinni Hadog weld hefyd, dyffeia i o, yn cymryd ochor Lisi Jên am bob dim, a fasa 'na ddim llun o swper chwarel iddo fo heblaw fi. Ond mae mei lord yn meddwl mai hi sy'n gneud pob dim.'

'Ydach chi'n gwybod y ffordd, Winni?'

'Be? Y ffordd i neud bwyd?'

'Naci, y ffordd i Lundain.'

'Hitia di befo hynny rwan. Mi fydd yn ddigon buan inni holi pan gyrhaeddwn ni'r ffordd bost.'

'Ond 't oes yma ddim ffordd bost yn fan 'ma.'

'Mi'r ydan ni'n siŵr o ffeindio un. Mae yna ffordd bost ymhob man.'

'Ddim ar y mynydd.'

'Fyddwn ni ddim ar y mynydd trwy'r dydd. Mi ddown allan yn rhywle.'

'Fyddwn ni'n mynd heibio i Lyn Llyncwel?'

'Be wn i? Mi awn ni ar ôl ein trwynau'r un fath â dafad. A phaid â siarad cimint. Mae gin ti lot i ddeud o d'oed. Mi fasa Lisi Jên wedi rhoi chwip din iti ers talwm am brepian.'

'Mae gin bawb hawl i siarad.'

'Ddim o flaen Lisi Jên. "Cau dy geg" ydi un o'i hadnodau hi.'

'D ydi honna ddim yn adnod.'

'Paid â bod yn rhy siŵr rhag ofn iti ddŵad ar i thraws hi yn y Beibl. Mi rôi hynny bin yn dy swigen di.'

Ni wyddai Begw beth oedd ystyr hynny. Ond daethant at y gamfa a mynd drosti i'r mynydd-dir a chael cip ar gongl Llyn Llyncwel.

'O, dacw fo,' ebe Begw, a chlepian ei dwylo.

'Be?'

'Llyn Llyncwel.'

'R oeddat ti'n siarad fel tasat ti wedi cael sofran ar lawr.'

'Mi faswn i'n licio i weld o i gyd.'

'D ydi o'n da i ddim i neb ond i fyddigions fynd arno fo yn 'u cychod i ddal pysgod. A weli di na finna byth gwch yn ein bywyd.'

'Ond mae o'n glws.'

'Mae Lisi Jên yn glws hefyd, ond dydi hi'n da i ddim ond i chicio. 'R ydw i wedi blino. Mi orfeddwn ni yn fan 'ma.'

Yr oedd yn dda gan Begw gael gorffwys. Yr oedd coesau hirion Winni wedi symud dros dipyn o dir er pan gychwynasent. Edrychent i'r awyr las glir, Winni yn union syth. Yr oedd yr awyr las yn gwneud Begw yn benysgafn a chododd ar ei heistedd. Nid oedd dim ond y mynydd-dir llwyd o gwmpas, a gwal dyllog gam yn rhedeg ar hyd-ddo, ac ambell ddraenen rhyngddynt a'r mynydd a adawsent. Yr oedd y cwbl i Begw yr un fath â phetai rhywun wedi rhoi het las newydd sbon am ben Winni efo'i brat pyg a'i ffrog rinclyd. Edrychodd ar Winni, ni symudasai ei phen er pan orweddasai ar y ddaear, dim ond edrych ar yr awyr. Yr oedd ei hwyneb yn llwyd, ond yr oedd ei gên gam yn benderfynol.

'Fyddi di yn gweddïo?' gofynnodd Winni heb symud ei phen.

'Bydda, mi fydda i yn dweud 'y mhader.'

'Nid gweddïo ydi hynny, ond deud adroddiad. Fyddi di yn gofyn i Iesu Grist am rwbath sydd arnat ti i eisio yn ofnadwy?'

'Bydda,' meddai Begw yn swil, 'ar ddiwedd 'y mhader.'

'Am be?'

'Gofyn i Iesu Grist beidio â gadael i 'nhad gael i ladd yn y chwarel.'

'A mae dy weddi di wedi cael i hateb hyd yma.'

'Fyddwch chi yn gweddïo, Winni?'

'Ddim rwan. Mi fuom ar un adeg, yn gweddïo fel diawl.'

Dychrynodd Begw, a gollwng 'O' ofnus allan.

'Am be wyt ti'n dychryn? Wyt titha yr un fath â hogan y pregethwr?'

'Nac ydw – ond –'

'Dyna fo, dim ods. Mi ofynnais i, a mi ofynnais i i Iesu Grist fendio mam, am fisoedd, ond wnaeth O ddim. A tendia di, ella y caiff dy dad ti i ladd yn y chwarel ryw ddiwrnod.'

Dechreuodd Begw grïo yn ddistaw, ond nid oedd am i Winni weld hynny. Wedi'r cwbl, yr oedd Winni heb fam, ac nid oedd hi yn crïo. Mentrodd ddweud:

'Ella'i bod hi'n well i lle, Winni.'

'Pwy glywis di yn deud hynna?'

'Mam.'

'Ia, yr hen gân. 'D oes gennyn nhw ddim byd arall i ddeud. Be ŵyr neb lle mae mam. 'R oeddwn i yn licio hi yn ofnadwy, a mi'r oedd hi'n deud pob dim wrtha i, ac yn fy nghadw fi'n lân, yn golchi fy mhen i bob nos Sadwrn, ac yn fy ngolchi fi trosta, a rhoi coban gynnes amdana i a nghario fi i ngwely, rhag ofn imi oeri fy nhraed. A mi fyddwn i'n cael crys glân bob bore dydd Sul i fynd i'r capel, a phais ddafedd coch wedi'i chrosio.'

'Pam na ddowch chi i'r capel rwan, Winni?'

' 'R ydw i yn rhy flêr. 'D oes gin i ddim dillad o gwbl. A meddylia sut y basa dynes y pregethwr yn edrach arna 'i.

Mi fasa'n mynd i mewn i'r harmoniam cyn y basa hi'n eistedd wrth f' ochor,ac yn snwffian dros y capel.'

Dechreuodd lafar ganu:

'Gosod seti i bobl fawr,
Gadael tlodion ar y llawr.'

'Be mae hwnna yn i feddwl?'

' 'D wn i yn y byd. Paid â holi. Dim ond bod pobol y capel yn trin y tlodion fel tasan nhw yn faw.'

'T ydyn nhw ddim yn ein trin ni felly.'

'Wel nac ydyn siŵr Dduw. Un o'r bobol fawr wyt ti.'

'Naci wir. 'D oes gennon ni ddim pres.'

'Wel, mi'r ydach chi'n dwt ac yn lân ac yn barchus, a 'd oes yna fawr o wahaniaeth rhwng hynny a bod yn bobol fawr. Pobol fudr ydi teulu Twm Ffinni Hadog. Wyddost ti be oedd achos yr helynt bore heddiw?'

'Na wn i.'

'Mae Sionyn, y peth bach, yn cysgu efo fi, a mae o'n gwlychu'r gwely, mwya cwilydd i fam o na basa hi yn i ddysgu o. A 'd ydi Lisi Jên byth yn meddwl golchi dillad y gwely nes bydd ogla sur wedi mynd arnyn nhw. A mi ddeudis i y bora ma y baswn i yn i golchi yn iawn, a mi fedra i wasgu yn dynn. Sbïa ar fy mreichiau i.'

'A chawsoch chi ddim gneud?'

'Ddim gneud wir! Yn lle cael gneud – a hitha yn fora mor braf, meddylia fel y basan nhw yn switio yn yr haul – dyma fi'n cael tafod a fy rhegi, a chael fy ngalw yn un o'r bobol fawr. Meddylia, *fi* yn un o'r bobol fawr.'

Chwarddodd dros y wlad.

'Y fi a dynas y pregethwr efo'n gilydd! A gwraig y stiward! A ledi wên deg!'

'Pwy ydi honno?'

'Wyddost ti'r wraig weddw yna, na ŵyr neb o ble mae hi'n dŵad, y hi na'i harian. Mae'i cheg hi'n rhy wastad i siarad.'

'Mi'r ydach chi'n gwybod mwy am bobol y capel na fi, Winni.'

'Dyna chdi'n prepian eto. Nid yn y capel yr wyt ti'n dŵad i nabod pobol.'

‘ ’D awn ni byth i Lundain fel hyn Winni, wrth sôn am bobol y capel.’

Cododd Winni ar ei heistedd a synfyfyrio.

‘Nac awn.’

‘Fasa dim gwell inni fynd yn ôl.’

‘At Twm Ffinni Hadog a Lisi Jên i wraig! Dim ffiars.’

‘Ond mi’r oeddach chi’n canmol ych tad gynna.’

‘Wrth bwy?’

‘Wrth yr hogia yna. Mi ddaru i chi ddeud nad oedd ych tad ddim yn mynd allan i ddwyn tatws.’

‘Yr het wirion! Deud yr oeddwn i fod tad y llall yn mynd. Mae yna betha gwaeth na dwyn tatws. Dew, mi fuo ’nhad yn frwnt wrth mam. Yn deud hen betha ffiaidd yn cyrraedd ’d at yr asgwrn, a hithau yn deud dim. Mi faswn i’n licio ’i glywed o’n dechrau ar i stranciau efo Lisi Jên. Mi fasa’r procar yn i ben o mewn eiliad. Ond mam oedd yn wirion wrth gwrs.’

Cododd y ddwy ac ail ddechrau cerdded. Cychwynnodd Winni yn ôl ar hyd yr un ffordd ag y daethent.

‘Nid fforna mae Llundain,’ ebe Begw.

‘ ’D oes arna i ddim eisio mynd i Lundain,’ ebe Winni, a dechrau beichio crïo, ‘mae arna i eisio mynd yn ôl at Sionyn. Be wneith o hebdda i? A mi fydd yna un arall ato fo yn o fuan.’

Llygadrythodd Begw. Nid oedd yn bosibl deall neb. Dyma Winni wedi ei hudo hi i fanma, ac yn troi fel cwpan mewn dŵr. Sychodd Winni ei dagrau efo’i brat, ac yr oedd dwy res fudr ar ei harlais.

‘A phaid ti â holi dim chwaneg,’ meddai hi yn sych, ‘ ’r wyt ti yn rhy ifanc i wybod pethau fel yna.’

Tro Begw oedd bod yn styfnig yn awr.

‘ ’R ydw i’n mynd,’ meddai, ‘rhaid i mi gael gweld y llyn yna i gyd.’

A throes ar ei sawdl. Edrychodd Winni yn wirion ac ar ei chyfyng gyngor. Ond dilynodd Begw o lech i lwyn, a’i dal ymhen sbel. Daethant i olwg lawn o’r llyn, a Begw wedi ei chyfareddu. Disgleiriai’r haul ar ei donnau mân a gwneud iddynt gwafrio, ac ni allai dynnu ei llygaid oddi arno.

'Dyna fo, 'r wyt ti wedi edrach digon arno fo rwan. 'D ei di byth yn gyfoethog wrth synfyfyrio.'

Troes Begw o'r diwedd ac yn sydyn gwaeddodd,

'Dyna hi.'

'Beth eto?'

'Y lôn bost.'

' 'D ydi lôn bost yn dda i ddim i mi bellach. Unwaith y doi di o hyd i rwbath, mi 'rwyt ti yn syrffedu arno fo.'

'Ches i ddim amser i syrffedu ar y llyn.'

Ni ddywedodd Winni ddim, ond yr oedd y ddwy yn falch o weld y lôn bost er na wyddent ar y ddaear i ba le yr âi. Lwc iddynt hwy oedd fod Griffith Jones, y Tŷ Llwyd, yn cychwyn adref o'r efail y munud hwnnw.

'Hei,' meddai, 'i ble'r ydach chi'n mynd fforma.'

'Wyddom ni ar y ddaear,' ebe Begw, 'ar goll yr ydan ni, Winni wedi cychwyn i Lundain.'

'Peidiwch â gwrando arni Griffith Jones,' ebe Winni reit barchus, 'mynd am dro wnaethom ni i weld Llyn Llyncwel, a cholli'r ffordd.'

Yr oedd Begw yn ddigon hen i wybod mai gorau daero fuasai hi efo Winni.

'Neidiwch i mewn i'r drol,' ebe Griffith Jones, a chwip ar y ceffyl.

Yr oedd Robin newydd gyrraedd y tŷ gyda'i fwyar duon pan gyraeddasant, a'r mwstwr wedi dechrau codi ynghylch Begw wrth weld nad oedd gyda'i brawd. Dywedai Winni yn bendant nad oedd am fynd adre am y gwyddai beth a'i harhosai. Ni fu'n rhaid i neb bendroni uwchben y broblem honno'n hir, oblegid daeth Twm Ffinni Hadog ei hun at y drws, a'i olwg yn ddigon i ddychryn y cryfaf. Nid oedd wedi torri ei farf ers wythnos, ac ni welsai ei wallt grib ers dyddiau. Nid oedd coler am ei wddw, na chap am ei ben.

'Tyd o'na 'r – ' oedd ei eiriau cyntaf. Ond cyn iddo orffen ei frawddeg yr oedd tad Begw wedi torri ar ei draws.

'Dim o dy regfeydd di yn y fan ma, Twm.'

'Mi lladda i hi, gna –'

'Na wnei, wnei di ddim.'

'Dowch i'r tŷ er mwyn inni gael ych gweld chi'n iawn Tomos,' ebe'r fam.

Ac fe ufuddhaodd fel oen. A dyma mam Begw yn dechrau dangos ei bod yn feistres ar bawb. Gwnaeth bryd o fwyd iddynt, a gwneud i Twm a'i ferch eistedd wrth ochrau'i gilydd rhag iddynt orfod edrych ar ei gilydd. Ni ddywedodd neb air yn ystod y pryd bwyd, dim ond bod y fam yn cynio arnynt fwyta, a phawb yn ufuddhau, heb edrych fel pe baent yn ei fwynhau.

'Rwan,' meddai hi yn dra awdurdodol, 'ewch chi adre Tomos i oeri tipyn ar eich tempar.'

Dechreuodd Winni weiddi, 'D ydw i ddim am fynd efo fo, d ydw i ddim am fynd adre.'

Ac yr oedd golwg arni fel anifail wedi ei ddal ar ôl ei goethi drwy'r dydd gan gŵn.

'Rhoswch imi orffen, Winni,' ebe'r fam, 'mi gewch chi aros yma heno, mi wna i wely ar y soffa i chi, ac ella y medrwn ni wneud rhywbeth i chi gael lle bach go handi i weini tua'r dre' yma.'

'Ond mi fydd ar Lisi Jên eisio mwy o'i help hi nag erioed rwan.'

'Mae Lisi Jên yn ddigon 'tebol i weithio Tomos, ac os na ddigwydd rhywbeth i symud Winni o'cw, mi fyddwch wedi'i lladd hi.'

'Ond mae hi'i hun mor ffond o Sionyn.'

'Mi geith weld Sionyn bob wsnos os eith hi i'r dre' i weini.'

Aeth Twm allan fel y daeth i mewn, heb ddangos unrhyw arwydd o dymer, a'i grib wedi ei dorri gan wraig rhywun arall.

1958

# Dieithrio

'Cadw dy draed yn llonydd, Begw. 'Ddaw Winni ddim cynt wrth iti ysgwyd dy draed.'

'Ydach chi'n meddwl y daw hi, mam?'

' 'D wn i ddim, mi eill ddŵad ac mi eill beidio.'

Dyna hi eto, nid oedd cadarnhad i'w gael gan neb i'w hamheuon. Ateb dwl oedd ateb ei mam, dweud geiriau er mwyn dweud rhywbeth a'r rhywbeth hwnnw'n ddim. Nid oedd yn bosibl mynd allan i weld a oedd Winni'n dŵad, oherwydd y glaw smwc a'r niwl topyn hyd at y drws. Ofer oedd edrych drwy'r ffenestr.

'Y syndod i mi ydy,' meddai'r fam wedyn, 'i bod hi wedi aros wsnos gyfa yn i lle cynta, mi fasan' wedi clywed rhywbeth petai hi wedi rhedeg adref.'

Buasai'n wythnos wag i Begw wedi i Winni fynd i'r dref i weini a hithau wedi cael ei chwmpeini bob nos am rai wythnosau pan ddeuai yno i wneud ei dillad yn barod. Sut yr oedd tad Winni a'i llysfam wedi gadael i'w mam hi drefnu pob dim ar gyfer y newid ni allai meddwl plentynnaidd Begw ddirnad. Yr oedd ei mam wedi bod yn hollol ddigwilydd debygai hi, yn cymryd meddiant o Winni, gwneud ei dillad a phob dim, a hyd yn oed gael hyd i focs tun i roi'r dillad ynddo. Ie, ac wedi cael y lle a mynd i siarad at y feistres drosti.

Buasai'r ychydig wythnosau diwethaf yma i Begw fel byw mewn gwlad hud. Yr oedd y cistiau yn y siamberi wedi eu troi tu chwyneb allan, a'u cynnwys wedi eu dymchwelyd ar yr aelwyd, er mwyn cael defnyddiau dillad i Winni. Yr oedd y dillad fel trysorau lliwgar o wlad bell ac aroglau gwlad arall arnynt, lafant hen. Cêp sidan ddu a les drosti, wedi ei thrimio efo mwclis bychain, a leinin o sidan coch iddi. Gwastraff ym meddwl Begw oedd gwisgo'r du at allan a'r coch tu mewn. Ond dyna fo, yr oedd pobl ers talwm mor rhyfedd yn gwneud pob dim tu chwithig allan. A'r sgert sidan ddu honno wedyn efo rhesi gwyrdd, sidan caled yn sïo, pethau crand nad oeddynt yn da i ddim i Winni. Ond mi gafodd ei mam afael ar hen got ddu dri chwarter a choler gyrlin cloth arni, a dyma hi'n dechrau ei datod a dweud y gwnâi gôt iawn i Winni at ei godre. Erbyn meddwl ni welsai Begw erioed Winni yn gwisgo côt. Daeth ar draws hen sgert frethyn lwyd a llathenni o gwmpas ynddi, a gwnaeth ffrog iddi o honno. Prynodd galico grôt y lath i wneud crysau iddi, a thrywsusau pais efo gwlanenéd bron cyn rhated. Yr oedd y peiriant gwnïo bach yn mynd fel Robin Gyrrwr bob nos wedi i'r plant fynd i'w gwelyau, a Begw yn cael aros ar ei thraed yn hwyr i helpu smalio drwy estyn a chyrraedd i'w mam a rhoi edau yn y nodwydd.

Ond y mwyniant mawr oedd fod ei mam wedi dweud y dylai Winni ei hun wnïo'r les ar y crysau a gwnïo botymau ar y pethau eraill, ac mai'r unig ffordd iddi wneud hynny'n lân oedd iddi ddŵad i lawr i'w tŷ hwy, a golchi ei dwylo yn gyntaf peth. Tynnai Elin Gruffydd wallt Winni at ei gilydd efo gwiallen wallt, er mwyn iddi weld ei gwaith, ac i Begw ymddangosai Winni fel petai eisoes wedi dechrau codi ei gwallt a mynd yn ddynes. Ni allai dynnu ei llygaid oddi arni, yr oedd ei hwyneb mor wahanol, ac ochr ei boch o dan ei chlust mor ddel ac mor esmwyth. Yr oedd golwg mor ddifrifol arni wrth ddal i wnïo, bwyth ar ôl pwyth, heb ddweud dim. Ond efallai na fedrai Winni siarad a gwnïo yr un pryd, dim ond ei mam a welsai hi yn gwneud dau waith ar unwaith.

Wedi i Winni fynd adref bob nos, dywedai ei mam fod Winni wedi 'sobreiddio drwyddi.' Yr oedd Begw wrth ei bodd clywed y geiriau 'sobreiddio drwyddi,' yr oeddynt fel sŵn lot o farblis mewn wyrpaig, ond rhywsut nid oedd yn hoffi gweld Winni ei hun wedi sobreiddio. Yr oedd yn well ganddi hi ei chlywed yn areithio yn erbyn ei thad a Lisi Jên. Ond yr oedd ei mam wedi dweud nad oedd am gynnwys Winni i siarad am Lisi Jên, yn enwedig gan fod peth arall wedi codi, ac nid oedd Elin Gruffydd am ryfygu tynnu gwg Twm, meddai hi. Yr oedd yn rhaid i'r hogan gael ffrogiau cotyn rhesi glas a gwyn, at y boreau yn ei lle newydd, a barclodiau gwynion at y prynhawn, ac ni allai hi fforddio prynu'r rheiny, yr oedd yn ddigon parod i wneud y ffrogiau.

Daeth yr ymwared mewn ffordd annealladwy i Begw, ond hollol ddealladwy i'w thad a'i mam. Dechreuodd ei gyd-chwarelwyr bryfocio Twm yn y chwarel, ei fod yn rhy grintachlyd i brynu dillad i'w ferch i'w chychwyn i weini. Fe'i trawyd yn ei fan gwan, a buan yr oedd y defnydd yn nhŷ Elin Gruffydd.

Rhyw noson pan oedd popeth yn barod, sylweddolodd Elin Gruffydd nad oedd gan Winni ddim i'w roi am ei phen, ond cofiodd iddi weled tomi-sianter llwyd a choch yn Siop yr Haul am hanner coron, a nos drannoeth yr oedd hwnnw am ben Winni, a swper i ddathlu'r gorffen cyn cychwyn adref. Yr oedd Elin Gruffydd yn fodlon ar ei gwaith, a dywedai nad oedd Winni yn cychwyn i weini yn hollol fel petai mewn mowrnin, diolch i'r tomi-sianter.

A wedyn, bore Sadwrn wythnos yn ôl galwasai yno ar ei ffordd at y frêc a'i thad efo hi, ac i Begw yr oedd Winni fel geneth ddieithr nas adwaenai, yr un fath â genod eraill yr ardal, ei llygaid fel penwaig ar ôl crïo. Yr oedd golwg mor ofnadwy ar ei llygaid rhwng chwydd a chochni, fel yr ofnai Begw i weddill ei chorff droi yn un deigryn mawr. Yr oedd gwacter mawr yn ei bywyd wedi iddi fynd, a theimlai, ar ôl yr wythnosau o gwmpeini Winni, fel petai hi wedi mynd allan yn ei ffrog a'i brat heb ei chôt ym mis Mawrth.

'Mae hi'n hir iawn,' meddai Begw gan godi ei thraed a'u rhoi ar ben y soffa, lle y buasai'n eistedd ers meityn mewn stad o wewyr disgwyl.

'Ella'i bod hi'n cael aros tan y frêc ddwaetha.'

'Ella na chafodd hi ddim dŵad o gwbl, ne alla'i bod hi wedi dengid i Lundain.'

'D ei di i nunlle heb arian.'

'Ne ella'i bod hi wedi mynd yn wraig fawr ac na ddaw hi ddim yma i ofyn sut yr ydan ni.'

'Anodd gin i gredu hynny mewn cyn lleied o amser.'

'Mi'r oedd hi'n edrach fel ledi yn 't oedd mam?'

'Wir, 'r oedd hi reit ddel, ond mi fydd yn rhaid iddi gael ffrog newydd mewn dim.'

'Mi geith arian i brynu rhai rwan.'
'Ella, os na cheith i thad hi afael arnyn nhw.'
'Tybed wneith hi ateb i mistras yn ôl?'
'Mi fydd yn demtasiwn fawr i Winni, achos ar ateb i gilydd yn ôl y maen' nhw wedi byw yn 'i chartre hi.'
Ar hynny dyna sŵn traed ar y cowrt a chnoc ysgafn ar y drws, a thraed a choesau Begw yn troi mewn hanner cylch cyn dyfod ar y llawr. Daeth Winni i mewn gan wenu a llanwyd y gegin o aroglau hyfryd.
'Mae gynnoch chi ryw oglau da iawn, Winni,' oedd cyfarchiad Elin Gruffydd, er mwyn cuddio'r chwithigrwydd, a rhag sylwi ar yr ôl crïo ar Winni – crïo glân y tro hwn.
'Meistras roth sent ar fy hances boced i,' meddai hithau, 'ac ylwch, mae hi wedi rhoi ruban coch imi glymu fy ngwallt i fynd efo fy nghap i, a mi ges i swllt gan Mistar i dalu fy mrêc.'
'Da iawn. Ydach chi'n meddwl y liciwch chi'ch lle?'
'Gna, am wn i, cystal ag y licia i unman. Mi fuo bron i mi â marw gin hiraeth yr wsnos yma. 'R oedd o yn fy mygu fi wrth fynd i ngwely.'
' 'R un fath mae pawb, Winni, mae o'r un fath â thorri ceffyl, rhaid peidio â rhoi mewn.'
'Hiraeth am Sionyn oedd arna i,' meddai gan ddechrau snwffian.
'Oedd o'n falch o'ch gweld chi?' gofynnodd Begw.
'Mi'r oedd o'n swil i gychwyn, yn cuddio'i wyneb ym marclod i fam, ond mi fynnodd gael i de ar fy nglin i.'
Siriolodd eiliad a dechrau chwerthin.
'Mae gin i newydd ichi, 'r oedd Lisi Jên wedi llnau'r tŷ i gyd, ac mi'r oedd Sionyn wedi cael ffrog a brat glân.'
'Chwarae teg iddi,' ebe Elin Gruffydd.
'Ydach chi'n gweld, Elin Gruffydd, 'r ydw i'n credu bod arni wenwyn i mi wsnos i heddiw, wrth fy ngweld i mor ddel yn cychwyn, 'r oedd hi wedi meddwl na fedrwn i byth edrach ond fel rhyw ffydleman ar hyd fy oes.'
'Wel, os ydy gwenwyn yn mynd i wneud iddi hi ymbincio, yna mae o'n beth da. Ella y bydd o'n help iddi hitha sefyll ar ei sodla'i hun hefyd. Job reit galed i bawb.'

'Ia wir, ond mi'r ydw i'n cael digon o waith yn fan'cw, a mae'r hogyn bach yn beth reit hoffus. "Robert" ydy'i enw fo, "Robert" maen' nhw'n i ddeud, nid "Robat".'

'Tipyn o steil 'ddyliwn.'

'O oes, mae acw ddigon o hwnnw. Ond hen le rhyfedd ydy'r dre. Sŵn rhyw hen drol lo a chloch wrthi, a thraed y ceffylau yn mynd lincyn-loncyn drwy'r dydd ar gerrig y stryd, a pheth reit ddigri ydy bod yn y selar, a gweld traed pobol yn mynd wrth ych pen chi. Mi faswn i'n rhoi'r byd am glywed iâr yn clocian weithiau.'

'Mae yna ddigon yn y farchnad, Winni.'

'Oes, o rai marw a rhai ar fin marw. Iâr fyw ar ganol cae ydw i'n feddwl. Wel, rhaid imi 'i throi hi. Mae hi'n braf arnoch chi yn cael eistedd wrth y tân braf yna,' meddai Winni gan ochneidio a chodi.

'Cofiwch chi, Winni, am dreio peidio ac ateb eich mistras yn ôl,' ebe Elin Gruffydd.

'Mi dreia' fy ngora. Ond mi fydd reit anodd gwneud hynny ar hyd y beit, os byddwch chi'n meddwl mai chi sy'n iawn ac nid y hi. Pam mae'n rhaid i rywun ddal i dafod?'

'Am fod arian yn fistar, Winni, dyna pam, a chin y bobol ag arian mae modd i gadw morynion. Mi fedran' ych rhoi chi ar y clwt mewn munud.'

'Medran, ond y morynion â thafod sy'n medru gwneud mwya o waith hefyd yn amal.'

Ni allai Elin Gruffydd ateb hynny.

'Ia, ond mae'n anodd gwybod be sy'n iawn a be sy ddim,' ebe John Gruffydd a ddaethai i mewn o'r beudy yn ystod y sgwrs.

'Ddim mor anodd ym myd mistras a morwyn, ond mae o'n gwestiwn iawn i chi'r dynion 'i drin yn yr Ysgol Sul,' meddai ei wraig.

'R ydw i'n cael mynd i'r Capel nos Sul nesa,' ebe Winni, 'y fi oedd yn gwarchod nos Sul dwaetha.'

'Mi ddo'i i'ch danfon chi at y frêc,' ebe John Gruffydd, 'mae hi'n dechra twllu ac mae'n anodd gweld yn yr hen law smwc yma.'

'Oedd arnat ti ddim eisio mynd i ddanfon Winni?' meddai ei mam wrth Begw wedi iddynt fynd.

'Dim llawer o daro,' meddai hithau'n bur ddi-fywyd.
'Pam? Be sy'?'
'Nid yr un Winni ydy hi.'
Cododd y fam ei phen oddi ar y tatws a bliciai at y Sul.
'Ia, siŵr iawn, yr un un ydy hi, mae hi'n reit debyg i'w mam ei hun.'
'Mi'r oedd yn well gin i hi fel yr oedd hi o'r blaen – yn giari-dym.'
'Besdad di'r hogan, a ninna wedi bod am wsnosa yn treio cael dillad ffit iddi fynd i fysg pobol, a'r oeddwn i'n meddwl i bod hi'n edrach yn ddel heno.'
'Oedd, ond nid Winni oedd hi. Chawn ni byth hwyl efo hi eto.'
'Cawn siŵr iawn, wedi iddi hi ddŵad i gynefino yn y dre'.'
'I'r mynydd mae Winni yn perthyn.'
'Lol i gyd, a phaid ti â threio stwffio hynna i phen hi, ne mi fydd yn i hôl fel bwled. Rhaid iddi feddwl am i byw, fel y bu raid i bawb ohonom ni, a fel y bydd yn rhaid i titha ryw ddiwrnod. Fel yna mae'r byd yn mynd yn i flaen.'
'I be mae eisio iddo fo fynd yn i flaen?' Waeth iddo fo fod fel y mae o ddim.'
'A phawb yn dlawd? Ac yn byta bwyd rhywun arall hyd y mynydd yma.'
'Byta bwyd rhywun arall y mae Winni heno.'
'Ia ond mae gynni hi hawl i hwnnw.'
'Mi ddalia i am bennog fod Winni yn licio bod yn giari-dym yn well na bod yn ledi.'
'Ydi ella rwan, ond fydd hi ddim rhyw ddiwrnod.'
'Biti ynte mam?'
'Biti be?'
'Piti bod yn rhaid ein newid ni.'
'Paid â phendroni, 'd oes yna ddim byd yn bod yn y byd yma ond newid.'
Ond pendroni y bu Begw, meddwl am Winni yn y selar a'r coesau uwch ei phen, meddwl am ei hiraeth ar ôl Sionyn, meddwl am Winni yn mynd i'r capel yfory i ganol pobl fawr y dre', yn gorfod dal ei thafod a bod yn neis. Meddwl am Winni wedi sobreiddio drwyddi. Na wir, mi

ddangosodd unwaith heno nad oedd wedi gorffen sobreiddio, wrth sôn am ateb ei meistres yn ôl. Mi'r oedd yno lwchyn o'r hen Winni yno.

A daeth rhyw gryndod trosti wrth feddwl na châi weld Winni ddim ond ar ambell brynhawn Sadwrn eto, ac os âi hi i ffwrdd ymhellach, na châi hi byth ei gweld, a hithau wedi ei hoffi gymaint. A beth ddywedodd ei mam hefyd? Y byddai'n rhaid iddi hithau sefyll ar ei sodlau ei hun ryw ddiwrnod. Teimlai'n oer ac yn unig a symudodd ei chadair at ymyl ei mam i swatïo wrth y tân.

1959

# Nadolig y Cerdyn

'Dal dy draed yn llonydd, a phaid â gwingo.'

Rhoes Rhys un naid arall, a chlep ar ei ddwylo. Prin y cyrhaeddai ei ên at y bwrdd, a gosodasai hi ar ei ymyl, fel ci yn cardota am damaid. Pefriai'r haul o'i lygad ar ôl y gawod fawr o law dagrau funud yn gynt. Begw yn unig a oedd i fynd â phethau at y Nadolig i'r hen Nanw Siôn ar ben y Mynydd Grug. Ond yr oedd Rhys wedi crio a nadu fel hen ful y Siop ers talwm, meddai ei fam, fel y bu'n rhaid iddi ildio, a gadael iddo fynd. Gwneud peth hollol wirion ym marn Begw naw oed, gadael i hogyn bach chwech oed fynd i ochr y Mynydd Grug drwy ganol yr eira, yn lle gadael iddi hi ei hun fynd, a bod yn wron heb gymar fel mewn stori. Gwep sur iawn a edrychai ar y fam yn lapio'r pethau i Nanw Siôn. Yr oedd bywyd yn frwnt iawn wrth blentyn. Cardiau Nadolig yn dŵad bob blwyddyn a llun hogan bach mewn bonet a mantell yn mynd ei hun drwy ganol yr eira a neb ar ei chyfyl. Ac ni bu erioed Nadolig fel yna iddi hi ers pan gofiai, dim ond hen Nadolig budr o law smwc a llaid a thywyllu yn y prynhawn. Ond eleni, dyma Nadolig yr un fath â'r cerdyn (nid oedd yn debyg y gwnâi ddadmer cyn drannoeth) a dyma'i brawd, wrth strancio, wedi ennill y dydd ar ei fam, ac wedi difetha ei rhamant hi. Ond wrth weld gên Rhys ar y bwrdd a chochni ei drwyn a'i lygaid, toddodd ei chalon dipyn.

'Cofiwch chi ddeud wrth Nanw Siôn am ferwi'r pwdin yn y clwt fel y mae o am ddwy awr, a deudwch wrthi am gadw'r cyflath yn y tun fel y mae o, rhag iddo fo doddi. Dyma damaid o fara brith iddi hi hefyd, printan bach o fenyn a rhyw asen bach o borc. Deudwch wrthi na fydd o ddim gwerth iddi dwymo'r popty i wneud hon. Perwch iddi ei rhoi ar y badell ffrïo.'

'Ydi Nanw Siôn yn dlawd iawn?' oddi wrth Rhys.

'Mae hi reit dop arni hi, ac mae hi'n byw mewn lle oer iawn.'

'Mi faswn i yn licio byw mewn lle oer.'

' 'D wyt ti ddim yn byw mewn popty rwan,' meddai Begw.

Ategai trwyn rhedegog Rhys hynny.

'A dyma i chi jou o gyflath bob un, i oelio clicied eich gên.'

Agorodd y ddau eu cegau fel dau gyw deryn, ac yr oedd y jou yn pincio allan yn eu bochau cyn pen eiliad, a'u bochgernau yn brifo wrth ei droi.

'Dyna chi rwan, a deudwch fy mod i'n gofyn amdani, ac y bydda' i yn ei disgwyl i lawr wedi i'r iäeth yma fynd drosodd.'

Yr oedd Rhys ar fin gafael yn y fasged pan gafodd Begw y blaen arno, ond ni faliai Rhys am y tro, gan iddo gael un fuddugoliaeth yn barod.

'Ga' i ddeud wrth Nanw Siôn mai fi sy'n rhoi'r cyflath?' i weld a gâi un fuddugoliaeth arall ar ei chwaer.

'Cei.'

Ni chododd Begw at yr abwyd i gael buddugoliaeth arall. Digon iddi hi fod y fasged yn ddiogel ganddi.

Cychwynnodd y ddau wedi eu lapio hyd at eu trwynau fel rowlyn powlyn, clocsiau am eu traed a chrafat mawr wedi ei rwymo ar eu pennau. Yr oedd yr eira yn llwythi ar hyd ochr y ffordd, a'r llwybr troed yn y canol yn sgleinio'n galed ar ôl y troliau. Yr oedd ôl traed yn mynd ac ôl traed yn dŵad, ac ôl blaen esgid yn sathru ar sawdl esgid. Llwybrau bach yn mynd at y tai a mynyddoedd o eira o boptu iddynt. Peth digrif i'r plant oedd clywed lleisiau'n siarad heb glywed sŵn traed yn cerdded. Yr oedd fel coeden heb wraidd. Casglai'r eira yn hafnau pedolau eu clocsiau, a theimlai Rhys fel petai ar 'bandy legs' yn sefyll wrth ben pawb. Rhoesant gic i'w traed yn y wal wrth droi at lwybr y mynydd, ac aeth poen poeth drwy eu traed i'w pennau.

'O', meddai Rhys gan wneud sŵn crio.

'Twt,' meddai Begw, 'dim ond hynna bach. Aros nes byddi di yn nhŷ Nanw Siôn.'

Ond nid oedd llwybr y mynydd yno, dim ond daear wastad ddi-dolc. Dim ôl dafad na merlen, dim twll nyth cornchwiglen, nac ôl carnau buwch, dim ond gwastadedd llyfn, a blaen ambell gawnen grin o frwyn yn taflu allan drwyddo.

Daeth ebwch o wynt main, a lluwchio'r eira i gorneli yng nghlawdd igam ogam y mynydd, lle'r oedd tomen serth o eira yn barod, ac yntau cyn llithro a gorffwys ar y domen yn troi fel cyrlen o wallt gwyn. Nid oedd golwg o'r ffrwd, ond gwyddai'r ddau blentyn ei bod yno, a chaead caerog o wahanol wynderau o rew ar ei hwyneb.

'Mae afon bach y Foty wedi marw,' meddai Begw, 'clyw, 'd oes yna ddim sŵn.'

Ond yr oedd twll bach yn y rhew yn uwch i fyny, a mynnodd Rhys gael symud ei grafat a rhoi ei glust arno.

'Na, mae 'i chalon hi'n curo'n ddistaw bach,' meddai, gan feddwl cryn dipyn ohono'i hun am allu myned i fyd Begw.

'Yli,' meddai, 'dacw fo.'

'Be?'

'Tŷ Nanw Siôn.'

A dyna lle'r oedd ei thŷ yn swatio dan gysgod twmpath, a'r Mynydd Grug y tu ôl iddo, fel blawd gwyn wedi ei dywallt yn grwn o bowlen fawr.

Ond yr oedd yr eira yn ddyfnach ac yn fwy llithrig, a chaent drafferth i sefyll ar eu traed, Rhys erbyn hyn yn gafael yn dynn yn llaw rydd Begw. Erbyn iddynt gyrraedd llidiart tŷ Nanw Siôn yr oedd yr eira wedi myned i mewn i'w clocsiau, a theimlai Rhys fod ganddo gant o lo yn hongian wrth bob esgid. Rhaid oedd curo'r bacsiau eira oddi tan y gwadnau eto a dioddef y gweyll poeth yn mynd trwy'r traed.

Cnoc bach gan bob un ar y drws.

'Pwy sy 'na?'

'Y ni.'

'Dowch i mewn.'

'Be' ar wyneb y ddaear a'ch gyrrodd chi i fan'ma ar y fath dywydd?'

'Mam.'

'Ydan ni'n licio dŵad trwy'r eira.'
'Mi'r ydach chi'n licio peth gwirion iawn. Jêl ydi eira.'
'Mi ddaru mi grio i gael dŵad.'
'A 'r oedd arna i eisio dŵad fy hun.'
'Lwc garw fod gen ti gwmpeini. Be' tasat ti'n syrthio a thorri dy goes. Ond i be' dw' i'n siarad? Tynnwch am eich traed, a thynnwch y crafatiau yna.'
Yr oedd gan Nanw Siôn dân coch heb fod yn rhy fawr yn y grât, a phentwr o dywyrch uwch ei ben yn ymestyn i dwll y simnai. Tynnodd un ohonynt i lawr yn nes i'r tân, a dyma'r tân yn ateb drwy estyn ei dafod allan i'w chyfeiriad. Dechreuodd gynnau yn araf.
'Steddwch ar y setl yna a rhowch eich traed ar y stôl yma. Maen' nhw'n wlyb doman.'
Yr oedd yn dda gan y ddau gael swatio cyn nesed ag y medrent i'r tân. Ond deuai gwynt o bobman. I lawr o'r simnai a chodi'r sach blawd ar yr aelwyd, o dan y drws allan, o dan ddrws y gilan. Yr oedd dannedd y ddau yn clecian, a theimlent y crafat ar eu pennau er nad oedd yno. Ond toc dechreuodd y dywarchen fflamio o ddifrif, a symudodd Nanw Siôn rai eraill yn nes ati, a rhoes un clap o lo yn llygad y tân. Deuai aroglau potes o sosban ddu ar y pentan. Aeth Nanw i nôl tair powlen a'u rhoi ar y bwrdd bach crwn gwyn, torri tipyn o fara iddynt, a chodi'r potes efo chwpan i'r powliau.
'Rwan, bytwch lond ych boliau. Mi cynhesith hwn chi'n well o lawar na rhyw slot o de.'
Ac felly yr oedd. Fesul tipyn deuai'r gwres yn ôl i'w traed a'u dwylo a'u clustiau. Rhoes Nanw Siôn y procer o dan y dywarchen a ffrwydrodd gwreichion allan ohoni, a'r tân coch yn dringo'n araf drosti. Yr oedd fflam bach ar y lamp a throdd Nanw hi i fyny. Rhwng y tân a'r golau yr oedd golwg gysurus ar bethau, a dechreuodd y ddau blentyn bendympian. Ond yr oedd trwyn Nanw Siôn yn rhedeg, a hithau yn ei sychu efo hances boced wedi ei gwneud o fag blawd a gadwai rhwng llinyn ei barclod a'i gwasg. Yr oedd ganddi siôl dros ei hysgwyddau wedi ei chau efo phin ddwbl gref. Daeth distawrwydd dros y gegin, ac yn ei ganol clywid y gath yn canu'r grwndi, y

cloc yn tipian, y ddau blentyn yn chwyrnu cysgu, Nanw Siôn yn anadlu'n wichlyd fel megin, ac ambell glec o'r tân. Deffrodd Rhys.

'Oes gynnoch chi dop?' meddai wrth yr hen wraig.

'Top, be' 'na i efo thop, yn eno'r annwl?'

'Mam oedd yn deud i bod hi'n dop iawn arnoch chi.'

Pwniad iddo yn ei asennau gan Begw.

'Ydi mae hi, mae hi reit anodd byw, ond fel 'na gwelis i hi 'rioed. Waeth faint geith rhywun, fedr neb roi cwlwm ar y ddau ben llinyn.'

'Mae mam wedi rhoi tipyn bach o bethau i chi at y Dolig,' meddai Begw.

'A fi sy'n rhoi'r cyflath,' meddai Rhys.

'Mae'n debyg dy fod ti wedi rhoi tro neu ddau ar y llwy,' meddai Nanw Siôn.

Datbaciwyd y fasged, a Nanw Siôn yn dweud, 'Wel O!' am bob dim a dynnai allan. 'Y gryduras ffeind.'

'Mi 'r ydan ni'n mynd i gael Nadolig hen ffasiwn.'

Edrychodd Nanw Siôn ar Rhys fel petai cyrn ar ei ben.

'Pwy oedd yn deud?'

'Begw.'

'Be ŵyr hi am Nadolig hen ffasiwn?'

'Wel dach chi'n gweld, Nanw Siôn, 'r ydw i yn cael cardiau bob Nadolig a llun eira a chelyn arnyn nhw, a hogan bach yn mynd trwy'r eira mewn bonet a chêp.'

'A mi'r wyt ti'n meddwl mai chdi ydi honno?'

'Wel, 't ydan ni 'rioed wedi cael eira ar y Nadolig o'r blaen.'

'Ches inna' ddim chwaith. Celwydd bob gair ydi'r Nadolig hen ffasiwn.'

Aeth y ddau blentyn i'r potiau yn arw.

'Pam maen' nhw'n deud hynny ar y cardiau ynta?'

'Mi ddysgi di ryw ddiwrnod mai'r bobl sy'n deud mwya' o glwydda' sy'n gwneud i ffortiwn gynta'.'

Ni fedrai Begw ddweud gair. Yr oedd wedi cael ei thwyllo ar hyd yr amser. Wedi gweld rhyw fyd rhamantus ymhell yn ôl lle'r oedd plant bach yn cael Nadolig gwyn bob blwyddyn. Mentrodd toc.

'Wel, mae 'u celwydd nhw wedi dŵad yn wir y tro yma

beth bynnag, ac ella mai rwan 'r ydan ni'n dechra cael Nadolig hen ffasiwn.'

'Paid â mwydro dy ben blentyn. Felna mae pobol yn mynd i'r Seilam.'

Yr oedd Rhys ar goll yn lân, a meddai:

'Waeth befo hen gardia Nadolig, hen betha gwirion ydyn' nhw. Well gen i eira go iawn.'

'A mi 'r wyt ti wedi 'i gael o rwan 'y machgan i. Tasat ti yn f' oed i yn byw ar ben y mynydd fasa arnat ti ddim o'i eisio fo. Llyffethair ydi eira. Dyma fi yn fan 'ma ddim yn medru symud cam, a fedra 'i ddim dŵad i lawr acw 'fory i gael cinio efo chi fel arfar.'

Yr oedd Rhys bron â chrio.

'Treiwch ddŵad,' meddai.

'Treio, treio, hen wraig o f'oed i. Be taswn i'n torri 'nghoes wrth syrthio? Na, mi fydd yn rhaid imi fod yn fan'ma efo'r llygod a'r pryfaid cop.'

'A'r gath,' meddai Begw yn greulon.

Ffyrnigodd llygaid Nanw Siôn.

'Wyddoch chi bedi unigrwydd? Byw heb neb i ddeud gair caredig na chreulon wrthach chi. Byw efo meddyliau, dyna bedi "hel meddylia." Dynas fel fi sy'n hel meddylia, am na fedr cath na llygod mo'ch ateb chi–.'

'Pam na brynwch chi boli parrot?' gofynnai Begw.

'Mi ro i ti boli parrot, y gnawas bach breplyd! Biti na fasa Rhys wedi aros gartra, er mwyn iti fynd drwy'r eira yma dy hun, iti gael gweld bedi unigrwydd.'

'Mi faswn i wrth fy modd.'

'Basat reit siŵr mi fasat wrth dy fodd petasa'r Diafol yn dy gipio di ar i gyrn, a d' ollwng di i lawr twll y chwaral yna.'

Chwarddodd Begw a chrynodd Rhys. Yr oedd arno eisiau dengid. Ond yr oedd yng nghrafangau araith Nanw Siôn.

'A mi'r ydw' i'n deud wrthach chi nad oes arna i ddim eisio i'r gath ddal y llygod. Maen' nhw'n gwmpeini i mi. Ac mae'r gath yn cysgu yn y siambar er mwyn i mi glywed rhwbath yn anadlu. A mi 'r ydw i'n licio clywad tician pry cop, er mai arwydd anga ydi o. Ond ddoth anga ddim hyd i mi eto.'

Dechreuodd Rhys grio. Yr oedd yn edifar gan ei galon ddyfod. Dyma hunllef a'i ddau lygad yn agored. Ond lliniarodd Nanw Siôn.

'Taw, 'machgen i, mi eith y Dolig heibio fel pob dim arall. 'D ydi amsar diodda nag amsar petha braf ddim yn para'n hir. Mi ga' i ddŵad i lawr eto am sgwrs at dy fam ac i droi handlan y corddwr. Dy fam ydi'r ddynas ffeindia yn y byd. 'D wn i ddim i bwy ma'r hogan yma'n perthyn. Cofiwch ddiolch yn arw iddi am yr holl betha yma.'

Erbyn iddynt fyned allan yr oedd y lleuad wedi codi, ac edrychai'r wlad fel petai rhywun wedi rhoi lliain mawr gwyn te parti drosti i gyd. Teimlai Rhys yn druenus wrth feddwl am Nanw Siôn yn treulio'r Nadolig yn y fan honno ar ei phen ei hun, ac erbyn hyn, teimlai Begw nad oedd Nadolig gwyn yn fawr o beth wedi'r cwbl. Yr oedd o'n llai rhamantus o lawer na phan gychwynnodd oddi cartref. Yr oedd Nanw Siôn wedi rhoi pin yn y swigen am y Nadolig hen ffasiwn, a theimlai mai wedi rhoi pin yn ei chelwydd hi yr oedd ac nid yng nghelwydd llunwyr y rhamant. Y hi a gafodd y pigiad.

Yr oedd y gwynt i'w hwynebau erbyn hyn, a'i fin yn gwneud pob tamaid ohonynt yn ddideimlad. Closiodd Rhys at ei chwaer a rhoi ei fraich ddiffrwyth trwy ei braich hi. Edrychent fel dau smotyn bach ar yr ehangder unig, a'u cysgod yn ymestyn yn hir wrth eu hochr. Ni welsant y smotyn arall ar ben y llwybr, nes dyfod ato, a chlywed llais eu mam yn dweud o'r distawrwydd:

'Mi fuoch yn hir iawn.'

'Nanw Siôn oedd yn ddigalon.'

'Pam?'

'Am fod yn rhaid iddi fod ar ben i hun yfory.'

'Ond mae hi am dreio dŵad i lawr,' meddai Rhys.

'Paid â deud celwydd,' meddai Begw, 'y chdi ddeudodd wrthi am dreio.'

Ac yr oedd hi mor falch o gael rhoi pigiad i rywun arall am ddweud celwydd. Ond nid oedd ddim gwahaniaeth gan Rhys. Eisiau mynd adref i ddadmer a mynd i'w wely oedd arno ef.

1951

*Awgrymiadau ar gyfer darllen pellach:*

*Kate Roberts: Cyfrol Deyrnged.* Golygwyd gan Bobi Jones. 224 tud. Gwasg Gee, Dinbych, 1969.

*Enaid Clwyfus.* (John Emyr). Golwg ar waith Kate Roberts. 256 tud. Gwasg Gee, Dinbych, 1976.

*Kate Roberts* (Cyfres *Llên y Llenor*). Eigra Lewis Roberts. 119 tud. Gwasg Pantycelyn, Caernarfon, 1994.